LA
RUTA
DEL
VINO

LA
RUTA
DEL
VINO

喝到世界的盡頭

酒途的告白

2

黃麗如

LILY HUANG

LA
RUTA
DEL
VINO

dala food 007

喝到世界的盡頭 酒途的告白2
La Ruta del Vino

大辣

作者：黃麗如
主編：洪雅雯
編輯：楊先妤
校對：金文蕙
行銷企畫：張容榕
美術設計：楊啟巽工作室
內文排版：邱美春
地圖繪製：張佩瑜
總編輯：黃健和

出版：大辣出版股份有限公司
　　　台北市105南京東路四段25號11樓
　　　www.dalapub.com
　　　Tel: (02)2718-2698 Fax: (02)2514-8670
　　　service@dalapub.com
發行：大塊文化出版股份有限公司
　　　台北市105南京東路四段25號11樓
　　　www.locuspublishing.com
　　　Tel: (02)8712-3898 Fax: (02)8712-3897
　　　讀者服務專線：0800-006689
　　　郵撥帳號：18955675
　　　戶名：大塊文化出版股份有限公司
　　　locus@locuspublishing.com
法律顧問：董安丹律師、顧慕堯律師
版權所有，翻印必究
台灣地區總經銷：大和書報圖書股份有限公司
地址：242新北市新莊區五工五路2號
Tel: (02)8990-2588 Fax: (02)2290-1658
製版：瑞豐實業股份有限公司
初版一刷：2019年7月
定價：新台幣450元
Printed in Taiwan
ISBN：978-986-6634-92-5

喝到世界的盡頭：酒途的告白2／黃麗如著. -- 初版. -- 臺北市：大辣出版：大塊文化發行, 2019.07　面；16×23
公分. –（dala food；7）　ISBN 978-986-6634-92-5（平裝）1.飲食 2.酒 3.文集　427　　　108007345

LA
RUTA
DEL
VINO

以酒
為旅程開路

La Ruta del Vino

　　街頭警車鳴笛大作，馬路拉起了封鎖線。我在計程車上，看著司機無奈地改道再改道，明明從布宜諾斯艾利斯國內機場（AEP）到聖特爾默（San Telmo）是很短的車程，結果一路又塞又堵又管制，花了一個多小時才到我下榻的住所。司機說：「該死的G20！妳算幸運的，飛機有降落，等一下就要關閉國內機場三天，布宜諾斯艾利斯今明兩天的地鐵都會停駛。大家都逃出城外了，妳還進來，這幾天妳可能就會被困在城裡了！」

　　本來計畫要去友人家烤肉、垂直品飲馬貝克（Malbec），當我正在街頭想著該帶什麼伴手禮時，電話響了，友人說：「我找不到車子載妳來我家，明後兩天道路都封鎖了，就算妳出得了城來烤肉，也回不去城裡搭飛機回台灣。」看著街頭電視牆播著川普、習近平紛紛抵達布宜諾斯艾利斯的畫面，我不禁怒火中燒。在阿根廷經濟最為低迷的此刻，為了營造城市通行無阻、和平美好的幻象，強制上百萬人改變生活習慣、逼著旅人放棄原有的行程安排，這趟旅程壓軸的酒肉饗宴跟著G20風暴一起煙消霧散。

沿著Defensa街走，酒吧、咖啡館已經預告G20期間可能歇業，探戈酒館Bar Sur的經理麥克說：「很多路都封鎖了，客人進不來，我們要怎麼營業呢！」再過兩個路口，菜攤的阿姨提醒我多買幾盒藍莓，因為明天可能送貨車進不來，她的店也不開了。街頭瀰漫著大伙準備棄城遠走高飛的氣氛。報攤的頭條全部是G20，被報紙壓在下方的雜誌，露出一角的封面故事：南美自由盃的決賽發生暴動，河床隊（River Plate）的球迷用催淚瓦斯和石塊攻擊博卡青年隊（Boca Juniors）的巴士，造成多人受傷、司機昏迷。

阿根廷等了好久終於等到南美足球盛事的最後冠亞軍全是自家人、布宜諾斯艾利斯最強的兩支勁旅將要對決，沒想到遭遇球迷鬧事，賽程無限延期，我看決賽計畫也被迫取消。球迷的暴動讓城市更加不安，G20的舉辦無非火上加油，對政府不滿的情緒籠罩街頭。天很藍、風很輕、雲很飄，但城市的負能量爆表。

沒想到這趟南美旅程的終點讓人萬念俱灰。在走回住處的路上，瞥見一間小小的酒舖，卡法亞特（Cafayate）、聖地牙哥河谷、還有大量的門多薩（Mendoza）葡萄酒優雅的排滿貨架，從非主流的阿根廷西北產區、烏拉圭葡萄酒，到智利與阿根廷的一級戰區，過去三個月我走過的酒途幾乎都在架上重現。美洛、坦納、馬貝克、特倫托斯，我像在盤點回憶錄般一瓶一瓶的放在籃子裡。

我問：「你們明後天會營業嗎？」

老闆璜（Juan）說：「當然會，早上十點到晚上十點，天天營業。」

我說：「不過G20不是造成很多店無法做生意？」

他笑著說：「那我們更要開，在這種節骨眼，我不能背叛我的信徒。」眼前亮起光明燈，當整個城市都要棄我而去時，這間酒舖對我不離不棄。

A Drinking Song

WINE comes in at the mouth
And love comes in at the eye;
That's all we shall know for truth
Before we grow old and die.
I lift the glass to my mouth,
I look at you, and I sigh.

WILLIAM BUTLER

酒舖開著、公寓對門的肉舖開著、旁邊的菜攤也開著小門，靠著這些，我和友人可以愜意地在下榻公寓的小院子開心度日。今天煎牛排、明天烤香腸、後天煮雞湯。隨著天光灑在院子的角度，紅酒、白酒、氣泡酒一瓶一瓶的開，當然，還有馬黛茶，小小的院子像是無邊無際的大草原，把我們帶離了受困的城市，G20的最新進展與街頭的抗爭，都與我無關。

　　我們喝著酒，想著幾天前在彭巴草原躺在吊床上，看書、飲酒的時光，回味著懷著四個月身孕的Mercedes帶著我們騎馬走逛草原的那個早晨。天寬地大、杳無人煙，前不著村後不著院的大塊風景，給我很大的安慰與安全感。看似跟世界斷了線，可是卻是重新跟自己連上線，清晰地知道呼吸是為了自己、喝酒是為了自己，一切的感官都是如此直接。

　　當眼前的風景是那麼靜好時，Mercedes的馬突然發狂，差一點把她甩到草地上。但她以堅定的眼神、靈活的身手馴服了不受控的馬，一點都沒因為自己懷有身孕而膽怯或慌張。在草原上生活多年的Mercedes，選擇自己想要的生活方式、以自己的節奏過日子，看似隱世，卻是更靠近世界本來應有的面貌。她彷彿生活在世界的盡頭，其實是看透了世間的奧祕。

　　再次走進酒舖，璜問我：「被困的時光怎麼度過？」

　　我說：「繼續跟你買酒，繼續在小院子裡吃喝。」他問起了我的旅程，我從幾個月前的玻利維亞說起。

　　他說：「為何是玻利維亞？」

　　我說：「因為酒的緣故。」他會心一笑，就像三個月前我剛抵達拉巴斯（La Paz）時，Gustu的經理貝爾迪（Bertil）給我的笑容一樣，那是對於酒友會踏上酒途而給予的支持表情。

　　因著對玻利維亞高海拔葡萄酒的念念不忘，我在2018年重返這個南美洲的內陸國，Bertil給了我他心目中理想的酒莊名單以及酒友名冊，我

依著線索一路南下，跳過了知名景點烏優尼（Uyuni），也不在意恐龍在這個國家留下的神祕腳印，我只想堅定地走在酒途上。

酒會帶路。她把我帶進蘇克雷的法國使館內，過了一個月的暢飲人生；她又帶我穿過安地斯山的險途，千迴百轉溯至玻利維亞在西班牙殖民時期最初的葡萄酒故鄉卡馬哥（Carmago）。然後，我再帶著卡馬哥釀酒師的託付，背著他所釀的自然酒前進阿根廷、把酒運至超過3千多公尺高的蒂爾卡拉（Tilcara）葡萄園。接著，再從高山行旅至河谷、翻越數個山頭，在酒神指引下，把酒送至卡法亞特（Cafayate）的釀酒藝術家。做為酒神的信使，我往往走進一個酒區最神祕、遙遠的酒莊，這個酒莊總是熱切說著下個酒莊的故事，下個酒莊又總是含著眼淚說著與上個酒莊結緣的過往。在宅配酒的南美公路上，一路暢飲、一路聽故事、一路被照顧。我是個闖入者，因為酒的緣故，立刻被接納為家人，在杯觥交錯與永無止境的烤肉中迷醉。

運酒所至之處太夢幻也太遙遠，每一個見面猶如彗星撞地球的機率，彼此都知道之後再相會不知道要越過多少千山萬水，只能把握當下，從相遇的那一刻一直喝到夜很深很深為止。一起暢飲的朋友，都住在遺世獨立之處，有著自己的一方天地、過著自己的時區、置身在世界的盡頭。但對他們來說，這就是世界的中心，所有的一切都以酒運轉，活出迷人的姿態與堅持。

酒會領路，總是把我帶進世界盡頭的盡頭，就算造訪尋常的風景也在酒的暗示下另闢蹊徑、感受了不尋常。隨著梅茲卡爾（Mezcal）的煙燻味，流連死者和生者同歡的墨西哥亡靈節，在屬於愛的節日裡卻經歷著殘酷風暴；喝著Piscola瞥見智利的隨興與憂鬱，原來Pisco sour只是武裝自己的味道；飲著甘蔗酒（Cachaça）在巴西薩爾瓦多墜入森巴魂的最深處，有費洛索（Caetano Veloso）的音樂相伴，還有誰會想念里約；循著坦納（Tannat）的滋味、和著大麻的香氣進入讓人眼睛一亮的烏拉

圭，看見加萊亞諾（Eduardo Galeano）*筆下融合美麗與憂傷的陽光與陰影。

　　酒會繞路，在國與國的疆界間，把我帶進充滿傳奇與神話的旅程，雖然事後想來莞爾，但因為酒魂相伴，她讓我克服了人在遙遠之地的不安與徬徨，在酒神的加持下，沒有到不了的地方。我清醒的記得在波羅的海深不可測的靈異沼澤旁，喝著Black Balsam、聽著黑魔法傳奇，醇厚的滋味鎮定我的膽怯。我懷念著在諾亞方舟下錨的亞拉山旁，喝著如絲綢般的亞美尼亞白蘭地，即使旅程常走進歧途，但這個長達六千年的釀酒古國引我進入飲酒的純真年代。她是那麼邊緣的國度，然而她的歷史幾乎等同人類發展史，拎著酒杯絕對會相信亞美尼亞是宇宙的核心。

　　跟著酒的滋味，我進入了北極、闖入了南極。酒，絕對不是極地行遊的賣點，但卻是我的解藥。在苦等北極光數日無果時，因為有伏特加相伴，永夜都變得有永晝的神采。在南極之旅槓龜、必須在海上漂流八日時，結合南極冰風暴的各式調酒調和了情緒的沮喪，也彰顯大自然的無常。酒化解了旅程的絕望、展開南冰洋的酒途，在這條航道上，暢快地跟謝克頓、史考特、阿蒙森等人舉杯。酒，開通時光旅程。

　　7月9日大道（Avenida 9 de Julio）湧進了抗議的人潮，我從Estados Unidos街拐進我的住所，聖特爾莫區在封城三天後宛如遺世獨立的小王國。隔壁的院子傳來陣陣烤肉的香氣，鄰居說：「管他G20、還是世界要毀滅，日子還是要過、肉還是要烤、酒還是要喝。」不管時局多糟糕、不管旅程多慘淡、不管對於未來之路有多麼心驚懼怕，慶幸自己是酒神的信徒，在酒途上，先喝一杯，酒會為旅程開路。

---

* 愛德華多‧加萊亞諾（Eduardo Galeano，1940-2015），烏拉圭記者、小說家。著有《足球往事：那些陽光與陰影下的美麗和憂傷》、《拉丁美洲：被切開的血管》等書。

Part 3
酒途的極境

歡迎來到最寂寞的星球，
越喝越多、越喝越沉淪，迷濛雙眼所張望的是美麗新世界。

Part 1

酒途的
盡頭

我是酒神的信使，
開始南美公路的運酒旅程……

在酒國
我們說
同樣的語言

玻利維亞‧蘇克雷
Sucre, Bolivia

當很愛很愛的時候，就會想要說對方的語言。因為喜歡酒精和西班牙文交織出的奔放節奏，我到玻利維亞的首都蘇克雷（Sucre）學習西班牙文，只是沒料到，這個古典、優雅的世界文化遺產之城也說著酒國的語言。

居遊在酒國

　　玻利維亞友人蘇瑪亞（Sumaya）強力推薦我到蘇克雷學西班牙文，她說：「那是南美洲最有名的大學城，學術風氣盛，城市很美又適合散步，妳靠走路就可以打理生活的一切。不像在拉巴斯擠了兩千萬人，去哪都塞車。」我並不是要去拿學位，因此大學城或是學術風氣都與我無關。讓我著迷的是適合散步，那意味著若喝到微醺，還可以走路回家，不用擔心交通的問題。

　　透過網路確定了學校，然後隨意地搜尋到一間供旅人長居的住所La Villa Francesa，瞥見明黃色的院子開滿九重葛的照片，直覺地發email、訂了一個月的住宿。我在繁華都會拉巴斯僅短短停留三天、讓身體習慣海拔近4,000公尺的高度後，即搭著夜車前往蘇克雷。

　　九個小時的車程，一路睡睡醒醒。在車內一片鼾聲大作時，我異常清醒，看著窗外漆黑的大地，微弱的車燈像是要衝過黑暗的帷幕。我突然對自己為何要跑到那麼遙遠的地方學西班牙文感到懷疑：為何是蘇克雷、為何要學、回台灣後又用不到、要不要把時間換去多旅行幾個地方……焦慮感延續至對人生的懷疑、對存在的質疑。

　　天微微地發亮，跟著人潮在繁雜的巴士站下車、領行李，很無感地再跳上一台上頭印著日文且冒著濃濃黑煙的二手小巴進城。小巴緩緩地開進「5月25日」廣場，中學生一群一群地穿越公園、走過馬路、準備上學；廣場旁的果汁攤擠著打算喝一杯現打果汁再衝去公司的上班族。光影在白色的教堂和古典的樓房間流轉，建築的背景是接近無限透明的藍天，眼前舒爽的日常氣息令人安心，幾個小時前的疑慮和焦慮，瞬間蒸發。

　　沿著廣場角落的Dalence街，拉著行李往斜坡上爬、緩緩走過這個

蘇克雷保留西班牙殖民時期的城市規
模，已被列為世界遺產之城。

西班牙殖民時期的經典城鎮，穿過Bolivar街、Avaroa街，挑高的木製大門、白得發亮的牆面，腳步所及的街景，明亮得讓人振奮，我忘了抱怨在海拔2,800公尺爬著陡坡的無奈。這個街口是咖啡館、那個街口是酒吧、再往前走是小小的咖啡館兼酒舖，越爬越高、我心情越來越High。接著經過一個典雅的旅店Mi Pueblo Samary，旅店大門旁刻著「巴西領事館」字樣。過往的領事館現在竟變成精品旅店，令人感到好奇；再多走五步，我在門號383的巨大木門前按下門鈴。門鈴上方的磁磚以漂亮的字體燒出：法國領事館。

克里斯多福（Christophe）幫我開門，引我進入典型的西班牙殖民風格宅院，四面是迴廊、中間有一個院子。若往迴廊的後方探去，還有另一個院子，宅院是兩層樓的建築。他帶我到主院子旁的一個房間，推開門，陽光直接灑落在古典的木床上，床邊有一張大書桌。靠窗處，則是吧檯與開放式的小廚房。克里斯多福帶我走到廚房後方的浴室，有剛鋪好磁磚的味道，一切乾淨明亮，他說：「浴室才剛翻新，熱水是二十四小時的，希望妳會喜歡。我們全家都住在二樓，有問題就在院子喊一下，我可以立刻下來處理。」把鑰匙交給我後，他說：「蘇克雷是很美、很安全的地方，附近有幾家很好的酒吧和咖啡館，妳在外頭待到多晚都沒關係，這是晚上很安全的城市。」當他就轉身要離開時，我說：「我要先給你房租吧！」他說：「沒關係，不急，離開時給或妳手頭方便時。」

我從冰箱拿出他幫我準備好的HUARI啤酒，墜入院子旁的躺椅，曬著暖暖的太陽，一切美得很不真實。院子裡的九重葛開得火紅，一隻叫作Kiki的貓在陽光下翻滾，迴廊的一角我看到二十個紅酒空瓶懶洋洋地倚著牆面。

我下榻近一個月的蘇克雷居所。

酒的對話練習

　　西文學校Sucre Spanish School距離住所走路約七分鐘，那又是另一棟漂亮的老宅院。如果我願意，甚至可以選擇在院子裡的陽傘下上西班牙文課。上課的第一天，老師維若妮卡（Veronica）教完「你好嗎？」、「我很好？」、「你叫什麼名字？」等問候語後，立刻教一個動詞：Gusta（喜歡），接著就是造句練習。

　　我說：「我喜歡喝葡萄酒。」

　　維若妮卡眼睛一亮，她說：「大部分的學生造句都是喜歡喝咖啡、喜歡看電影、喜歡跳舞，第一次聽到喜歡喝酒的。」

　　我吞吞吐吐用跛腳的西文練習問句：「妳喜歡蘇克雷的哪家酒吧？」

　　她說：「Café Florin，那裡從中午就可以喝酒，還可以喝酒看足球轉播。我還喜歡La Quimba，那裡有一些蘇克雷周邊原住民部落的特色調酒。」

　　我繼續練習疑問句：「妳喜歡喝酒嗎？」

　　她說：「喜歡，我每天晚上都會跟老公一起喝。」

　　我問：「妳喜歡喝哪種酒？」

　　她說：「我喜歡喝Chuflay，這是玻利維亞經典調酒，用Singani*加雪碧就很好喝。Singani是用麝香葡萄蒸餾出的酒，就像祕魯的皮斯可（Pisco）。」

　　每天四小時、一個禮拜五天，酒，成了我們對話練習的關鍵詞彙。

　　我想要（quiero），造句練習：我想要買一瓶Singani，下課後回家調Chuflay。

---

*　Singani是蒸餾的葡萄酒，酒精濃度約為40％，為玻利維亞國酒，可用來當作開胃酒，或是調酒。

蘇克雷是玻利維亞的文化與慶典之都，精釀啤酒的風氣也在古城流行。

可不可以（Poder），造句練習：可不可以請妳推薦在哪裡可以喝到好喝的玻利維亞葡萄酒？維若妮卡立刻回答：「妳應該要去塔里哈（Tarija），那是玻利維亞的酒鄉，有喝不完的葡萄酒。」為了持續這樣的瘋言酒語，每天中午下課後，我都很認真地寫作業、複習今日的課程，只為了明天繼續跟維若妮卡聊酒。

西文課陷入了某種奇妙的SOP：每天一早見面後，先道早安，然後維若妮卡就會劈哩啪啦地用疑問句開始一日的課程：「妳昨天晚上去哪裡喝酒？」、「跟誰喝酒？」、「花多少錢喝酒？」

在以酒精為主體的狀態下，演練著西語的數字、時態與動詞變化。

玻利維亞的酒友

「妳在蘇克雷還好嗎？若對哪裡的餐飲或飲酒文化有興趣，可以找我朋友威利（Willy）。」拉巴斯Gustu餐廳的侍酒師貝爾迪（Bertil）傳了簡訊給我。在學了兩個禮拜的西文後，維若妮卡問我：「妳這個週末要做什麼？有要去哪裡玩嗎？」我無奈地說：「我要寫妳出的週末作業啊！」她立刻說：「這個週末妳不用寫作文，妳去交朋友！」

要去找朋友的朋友，對我來說有點牽強，但我還是發了簡訊給威利，想禮貌性地相約喝一杯。他立刻回我：「抱歉我的英文不好，我一直等妳的訊息。歡迎妳來蘇克雷，我們這個週末要員工烤肉，妳一起來吧！」星期天中午，我走到他給我的地址Calle Calvo 70，那是我每天上學都會經過但從沒想過要走進的餐館——Chifa & Thai，一間賣中菜和泰菜的餐廳，威利是這間餐廳的負責人兼主廚。

Chifa & Thai是蘇克雷很受歡迎的亞洲餐廳，裡頭的家飾以木製家具為基調，整體呈現的是歐美遊客或是當地人會喜歡（所想像）的亞洲餐廳模樣。牆上掛了一些字畫的複製品，吧檯上放了兩尊佛像。威利說：

（左）Chuflay是玻利維亞經典調酒。

（右）老虎奶是嘉年華期間必飲的甜蜜酒品。

「這兩尊是在聖塔克魯斯（Santa Cruz）的跳蚤市場買的，一尊約台幣一千元。先喝一杯再烤肉吧！」他從佛陀旁的啤酒機押出一杯啤酒給我，驕傲地說：「這是蘇克雷的手工啤酒，我這裡只提供玻利維亞產的食材料理，甚至盡量選擇蘇克雷生產製造的東西。」

那杯IPA啤酒味道醇厚、尾韻甘甜，讓人眼睛一亮，但我還是很難說服自己到一家賣中菜的餐廳喝玻利維亞手工啤酒。我不禁問：「既然你標榜都是以玻利維亞的食材入菜、提供玻利維亞的食物，為何是經營亞洲餐廳，而不是玻利維亞餐廳？」他說：「蘇克雷的消費族群多半是玻利維亞在地人與大學生，在地人上餐館主要想品嚐異國食物，人們總覺得本地菜回家吃就好，所以開亞洲餐廳可以吸引客源。重點是，即使開亞洲餐廳也可以全面使用玻利維亞的物產來呈現。」

他繼續跟我說著他的夢想，希望有一天能開一間玻利維亞餐廳，把媽媽、奶奶的功夫菜精緻演繹。今年威利和一些主廚朋友發起「The Bolivian Dining Experience」行動，旅客可以跟他們預約時間，然後主廚們會選擇一個蘇克雷典雅的院子，在宅院裡料理精緻的玻利維亞菜色並且搭配在地酒款。他熱切地說：「玻利維亞多元的氣候帶造就豐富的農產品，在蘇克雷有全國最好的辣椒。而在聖塔克魯斯還生產跟日本一樣好吃的米飯、味增、豆腐，這個國家的物產多樣，只是少了好好呈現的方式。」威利越說越激動，喝下一杯又一杯的啤酒。

酒徒的星期天

星期天的餐廳是休息的。但Chifa & Thai固定會在每個月最後一個星期天做餐廳的全面大掃除，清潔過後，所有員工會一起烤肉。陣陣的肉香傳進吧檯，威利帶我到餐廳後方的庭院，加入烤肉盛會。烤肉架上已經排滿了豬肋排、豬肝、香腸、牛肋眼，庭院的長桌擺了一列的酒。餐

Chifa & Thai是蘇克雷很受歡迎的亞
洲餐廳,卻營造標榜都是以玻利維亞
的食材入菜、營造具在地特色的餐飲
文化體驗。

廳經理約瑟夫說：「這些都是等妳來喝的！」

　　大家一坐定，立刻拿起啤酒杯乾杯，大口吃肉、大口喝酒。威利讓我試了好多款在地的精釀啤酒，他說：「我的餐廳應該是蘇克雷提供最多精釀啤酒品項的店，每年年底我還會舉辦精釀啤酒節，讓有心做手工啤酒的人，可以一起參與、和消費者面對面。」古典的城市搭上了精釀啤酒的潮流，但對於傳統的滋味，他們更是念念不忘。吃著吃著，他在我的酒杯倒入自己釀的玉米酒（Chicha）。像酒釀顏色的玉米酒是玻利維亞的傳統酒飲，家庭主婦都會在家裡以玉米粉發酵、釀製一缸，作為日常飲品。過去為了協助發酵都會往玉米粉吐一口口水，威利特別強調：「我沒有吐口水進去，是用科學的方法釀造。玻利維亞人老覺得這是上不了檯面的東西，所以很少放在正式的酒單上販售，但我想把玉米酒加入我們餐廳的酒單，和來用餐的外國人分享我們的文化。」

　　喝著喝著我的酒杯被注入了在地小農釀製的檸檬酒（Limoncello）、李子酒等利口酒，最後威利端出玻利維亞節慶時一定會喝的必量飲料——老虎奶（Leche de tigre）。乳白色的老虎奶是用Singani加肉桂、牛奶釀製，味道甜美但酒精濃度往往高過40％，是完美的甜點酒，但很容易貪杯而不知節制。一群人很快地把兩瓶老虎奶喝完，每個人都笑得很開心。

　　我以為酒徒的星期天就在傍晚斜陽下散會，沒想到威利還想帶我見幾個在蘇克雷釀酒的朋友。於是驅車去了兩個美國人在一個小房子裡搞出來的精釀啤酒廠，又喝了兩瓶。這兩人還用巨大的鋁鍋熬煮薑汁，做出又辣又香的薑汁汽水。他們驕傲地讓我喝純天然的薑汁汽水，然後把酒精濃度達40度的Singani倒入我的薑汁汽水中，釀酒師傑西說：「這應該是最好喝的Chuflay！」的確，真實的薑味和Singani的勁道撞擊，所呈現出來的調酒不是坊間酒吧加雪碧的輕飄飄甜美感，而是厚實的味道。

（下）蘇克雷的釀酒師在小小的空間
裡，就可以熬煮薑汁汽水、釀製啤
酒，實現釀酒夢。

我又喝了兩杯。

威利邊喝邊滿足地說：「蘇克雷很適合過自己想要的日子，一些外國人來這裡，一待就是十幾二十年，他們往往躲在自己的宅院裡喝酒、釀酒、討論酒。」帶點微醺，他決定再去一個他認為全城最酷的釀酒場所。車子開回我熟悉的Dalence街，然後在我住處的門口停好車。我說：「這裡？」他指著寫著「法國領事館」標誌的磁磚說：「是啊！很酷吧，在領事館裡也有酒。」他準備按門鈴。我掏出鑰匙說：「我就住在這裡！」

月光下的酒席

克里斯多福從樓上走下來，他很訝異我跟威利一起進門，驚訝地說：「原來妳就是威利說想要帶來跟我認識的朋友。」他打開我房間隔壁的門，裡頭的酒從地板堆放到天花板，整個房間是密度很高的酒窖。克里斯多福還在裡頭釀製利口酒，並且以Singani為基底加入在地新鮮的可可、胡椒、香茅等不同香料，創造Singani多變的滋味。他說：「Singani是玻利維亞最具代表性的酒，我一直想表達他豐富的可能性，於是就把這裡產的可可、辣椒都放進去釀釀看。」我們好奇的品味浸泡過各種香草的Singani滋味，驚訝於那麼硬底的酒竟然可以被某些香草馴化，尤其它跟可可的結合，有直衝腦門的驚豔！

喝著不同香草風味的Singani、一邊閒聊，能回到住處喝酒，氣氛更是放鬆。我問克里斯多福：「這裡真的是法國領事館？」他說：「是啊！我就在樓上辦公。我十五年前買下這棟房子，後來法國政府就委託我處理這裡的領事業務。」他羨慕我到處旅行，他無奈地說：「這十五年來，我不能去太遠的地方旅行，因為每三、五天都有很笨的（他形容的）法國人會掉護照，就會來按門鈴。」既然不能遠行，他就在這個

大宅院營造自己的天地。一個房間當酒窖、一個房間是釀酒蒸餾室，至於其他的房間則規劃成民宿，給想長住的旅人（至少一星期）。他說：「我沒有什麼服務好提供，也希望來的人自立自強、各過各的好日子。」

　　調酒喝盡，克里斯多福從酒窖拿出一瓶塔里哈（Tarija）的紅酒，他說：「我到底是從勃艮地來的人，生活裡沒辦法沒有葡萄酒。不過很幸運，在玻利維亞已經出現不少還不錯的葡萄酒。我看著這個國家從葡萄酒文化沙漠，一路演變成南美洲最夯的葡萄酒產地。」我問：「會想回法國嗎？」他說：「倒還好，我喜歡拉丁美洲，不過我想離開玻利維亞，想搬到有海的地方住，在內陸國住十五年很夠了！我想盡快把這個房子賣掉，人生重新開始。」是夜，是月圓，是台灣的中秋節。我們喝得酒酣耳熱，淡淡離愁跟著酒精一起發酵。

　　翌日，我頂著快要火山爆發的頭殼去上學。我和維若妮卡進行例行的對話練習，她問起我的星期天，我從精釀啤酒開始講，然後登場的是玉米酒、檸檬酒、李子酒、老虎奶、Singani特調、葡萄酒……她看著臉部表情癱瘓的我說：「妳會頭痛嗎？」我說：「腦子裡有好多炸彈。」她笑了笑，在黑板上寫了新的單字：resaca（宿醉）。

Sucre, Bolivia

酒徒駐足notes

住了一個月的民宿La Villa Francesa／www.lavillafrancesa.com
有在地啤酒的餐廳Chifa & Thai ／Calle Calvo 70, Sucre
學習西班牙文Sucre Spanish School／sucrespanishschool.com
玻利維亞餐飲體驗／FB：The Bolivian Dining Experience

酒單cocktail recipes

調一杯玻利維亞風味Chuflay
材料：Singani 50ml、薑汁汽水（或7up）、檸檬片、冰塊
作法：
長杯內放4-5顆冰塊
加入Singani
注入薑汁汽水，汽水的分量約Singani的兩倍
置入一片檸檬片
均勻攪拌即可飲用

發酒夢的
遠方

玻利維亞‧塔里哈**X**卡馬哥
Tarija×Carmago, Bolivia

從抵達到星星堆滿天，我的酒杯沒有空過。杯中的佳釀像是銀河，自然酒的探索旅程常常迸出讓人驚豔的流星。我害怕離開這以後，再也喝不到如此渾然天成的滋味。工作桌上已經是一排空酒瓶，我們就著月光，不停歇地對飲。

路途是那麼遙遠、時間是那麼有限，在道路封鎖之前盡情地喝吧！

2016年我初次走訪玻利維亞，當時差旅主要的目的是造訪雪白鹽地構成的烏優尼「天空之鏡」。兩年後，我決定重返玻利維亞，不是為了「天空之鏡」，而是想好好品味玻利維亞的葡萄酒。因為第一次走訪時，我沒有喝夠。

以酒與高山症共處

初抵玻利維亞，第一件要克服的事情就是高度。主要入口城市拉巴斯（La Paz）海拔3,800公尺，隨處走逛就會超過海拔4,000公尺。邊走邊喘是剛到這裡的旅人最常出現的神態。許多旅遊指南都會提醒旅人，如果要減緩高山症的症狀，最好多休息、多喝水、不要做劇烈運動、不要喝酒。然而，我只記得抵達當日的清晨有點心悸、氣喘，但當我到被選為拉美五十大餐廳Gustu的酒吧喝下以國酒Singani做出的特調、再加上由侍酒師貝爾迪（Bertil）所開啟的一杯又一杯來自海拔2,000公尺以上塔里哈（Tarija）產區的葡萄酒盛宴後，高山症引發的頭痛、心悸、氣喘全部消失。乾淨、明亮的輕盈風味有如在海拔4,000公尺的空氣，清新又醒腦。酒標上產地Tarija字眼，成了我的保命符，我深信只要日日飲用，我這副來自海島的肉身一定可以跟高原環境完美共存。

對我來說，在如此高的地方所生產、釀造的葡萄酒，無法以一般品酒的標準來判斷好不好喝，因為這已經是物種奇觀了。如此「奇幻」的酒，除了在當地努力、用心地喝她外，沒有其他擁有的方式。貝爾迪說：「玻利維亞是內陸國，要把酒送出國成本太高，必須借智利的港口才能出去。至於空運，到了消費者的手上，差不多就跟酒標上所寫的高度一樣價格。」我在拉巴斯超市多半買一瓶約台幣三百以上的葡萄酒（差不多是架上前五貴），據貝爾迪研究，同樣的酒送去歐洲賣，一瓶約台幣兩千，驚人的價差讓人忍不住又多買兩瓶。

拉巴斯的Gustu餐廳是認識玻利維亞
葡萄酒與餐飲文化的最好的舞台。

玻利維亞酒滋味

　　2018年的南美長假，第一個念頭就是重回玻利維亞、走訪酒鄉塔里哈，過著喝酒放空的醺然時光。我回到已經累積多項拉美餐飲榮耀的Gustu，再次見到成為餐廳經理的貝爾迪。我跟他說我這回想深入玻利維亞的味道、走訪酒鄉塔里哈，他說：「我剛從丹麥來到玻利維亞工作時，跟著大家一起追逐塔里哈酒區知名酒廠出產的葡萄酒。不過，我漸漸發現，相較於鄰近的葡萄酒大國智利和阿根廷，玻利維亞去釀有阿根廷風味的馬貝克（Malbec）或是智利風格的卡本內‧蘇維翁（Cabernet Saivignon）非常弔詭。因為再怎麼釀也無法取代智利和阿根廷。」

　　兩年前，貝爾迪開始尋找一些獨立小酒廠，尤其是那些不用化學肥料的有機酒農，他試圖找出屬於玻利維亞的風味。貝爾迪笑著說：「玻利維亞很大，但大家對這個國家的認知其實很模糊，只知道有個絕美的烏優尼鹽地和一個瘋狂的原住民總統埃沃‧莫拉萊斯（Evo Morales），其他一無所知。但正因為一無所知，我們反而可以彰顯特色之處，走出一條獨特的葡萄酒之路。」

　　就貝爾迪的詮釋，所謂獨特，其實就是忠於本色，這塊土地適合長什麼葡萄就種什麼葡萄，誠實反映這塊土地的味道。他說：「一直以來我們總是以主觀認知去論斷葡萄酒，而不是不帶任何成見地去品味一瓶葡萄酒的滋味。」擔任侍酒師多年，他在玻利維亞才發現表現風土的方式其實就是尊重作物的原本模樣，而不是試圖去調整它，把它變成法國味或是智利味。在這樣的理念下，他發現了在塔里哈周邊的西恩提山谷（Valle de Cinti）有幾家遵循自然原則的小酒廠，他們的產量不大，卻有自己的風味。貝爾迪說：「就是很真實的玻利維亞味道，不是去釀大家印象中口感要有厚度的南美酒。其實很諷刺，曾幾何時，反璞歸真、呈現真實，反而是獨特。」

正因為多數人對玻利維亞的葡萄酒一
無所知，讓此地的釀酒師可無包袱地
走上獨特的葡萄酒釀製之路。

他倒了一杯由釀酒師阿曼尼（Amane）釀的紅酒給我品味，葡萄酒散發幽微清香，入口後是淡淡又舒服的酸味，一進喉頭，則是絲綢撫過般溫柔，味道一層又一層湧出。貝爾迪說：「這一瓶真的很有趣，是日本釀酒師阿曼尼釀的，他就住在西恩提山谷，他的產量如果有四百五十瓶，我就會跟他進兩百瓶，我覺得我的餐廳有責任要扶植這些認真又堅持的酒農。」再喝一杯阿曼尼的酒，輕柔中帶有力度，讓人想去探索那生命力的來源。我說：「我走訪塔里哈之後，一定要去找阿曼尼。」

「知名」酒鄉塔里哈

結束蘇克雷的西班牙語課程後，和老師維若妮卡相擁告別，她羨慕地說：「到塔里哈要痛快地喝啊！那裡的酒便宜又好喝，有的酒莊簡直是讓人喝到飽。」夜裡，民宿主人克里斯多福開車送我去長途巴士站，他說：「塔里哈跟蘇克雷一樣，城市規模不大、氣氛悠閒，儘管蘇克雷美多了，不過為了看葡萄園，我每年秋天還是會開車去塔里哈走走。你在夜車睡一覺醒來，就置身酒鄉了。」

清晨，公路指標寫著塔里哈，馬路的兩邊有薄薄的霧，霧裡是一片又一片的葡萄園。葡萄園不像波爾多或是門多薩（Mendoza）那般無邊無際的浩瀚至天邊，而是交錯在樹林、岩塊間，車子轉入河谷，幾片像小學操場大的葡萄園零星散布在谷地。最後公車開往塔里哈的主要幹道，正在拓寬的馬路旁是一個個酒廠的廣告招牌Campos de Solana、Kuhlmann、Casa Real……畫面裡的俊男美女開心地舉杯，然而隨著他們笑意所望出去的世界，卻有點荒涼，讓人擔心穿著低胸細肩帶的女模會不會著涼。

在細雨中從距市中心7公里的巴士總站轉公車進入塔里哈市區，原以為所謂的「酒鄉」應該是處處有酒舖、到處有酒吧，就像在義大利托

塔里哈的老城區酒氣不重，但可感受
庶民生活的風景。

斯卡尼的小鎮。但是，在塔里哈的市區感受不到「酒鄉」的氣息。Luis de Fuentes廣場的藍花楹開得燦爛、公園裡各色玫瑰花撩亂人的目光，相較於「酒鄉」的稱號，這裡更像花都。旅店的工作人員妮可（Nico）說：「是啊！每年10月初這裡都有花節，對玻利維亞人來說，這裡花的盛名遠大過酒，葡萄酒是這幾年的事情，在地人還是著迷於Singani。」旅店櫃檯上放了幾張酒鄉之旅的傳單，妮可說：「想要喝這裡的葡萄酒的話，可以參加酒鄉之旅，一個下午喝四家酒莊，可以喝到飽。」

　　我並不想喝到飽或喝到醉，只是想看看這個召喚我再次來訪玻利維亞的酒區長什麼模樣，於是立刻登記參加酒鄉之旅。下午兩點，一台九人座的巴士來接我，車上有另外六名尋酒客，他們都是歐洲人。從西班牙來的瑪塔是葡萄酒愛好者，造訪世界最高的酒區一直是她的心願，她說：「我以為塔里哈是很熱門的葡萄酒旅遊景點，沒想到這裡一點都不觀光，城市裡找不到幾間旅行社。」來自法國的安端則說：「真的是為了看葡萄園特別繞來塔里哈，這一路每天都買玻利維亞的葡萄酒，就很想看看她們是在什麼樣的土地上長出來的。」

世界最高的酒區

　　世界最高酒區的名號把兩個英國人、兩個德國人、一個法國人、一西班牙人和一個台灣人聚在一起，嚮導費南多先把我們帶去距離市中心半小時車程的Campos de Solana，這間酒廠甫獲得世界大獎，再加上之前盲飲會上出盡鋒頭，是玻利維亞最知名的葡萄酒廠。費南德說：「葡萄酒專家Cees van Casteren在2018 年舉辦全球坦納（Tannat）*盲飲，冠

---

* 　Tannat葡萄單寧強勁，酸度突出，帶有濃郁的黑色漿果、黑莓等風味。為法國西南區馬迪朗主要的葡萄品種。

軍是由釀坦納聞名的法國馬迪朗（Madiran）酒區Chateau Montus酒廠拿下，第二名就是Campos de Solana，當時許多人都不曉得玻利維亞有產葡萄酒。」

我們跟著他逛酒廠、進酒窖，費南多表示：「玻利維亞葡萄酒產業剛起步，許多技術都是跟智利和阿根廷學習。我們贏在高度，在海拔2,000公尺以上所生長的葡萄，因為成長時間長，所以在風味上比較豐富。」一群人在品酒室用著Schott Zwiesel紅酒杯喝著2016年的席哈（Syrah）和馬貝克（Malbec），吃著橄欖、生火腿和蘇打餅乾，英國旅人山姆說：「這個情境其實很像在義大利逛酒廠，不特別說明的話，還真的看不出是玻利維亞。」

費南多精準地控制每一個酒廠的參訪時間，結束Campos de Solana後就轉去Kuhlmann喝他們的氣泡酒，接著到生產國民飲品Singani的大廠Casa Real認識Singani及喝一杯加了雪碧的特調Chuflay。為了呈現獨立小酒廠的風貌，還特別繞去一家標榜依然用雙腳踩葡萄皮的小酒廠喝他們產的甜酒。最後，則走訪標榜此區最古老的酒廠Casa Vieja，年邁的酒莊主人倒出一缸又一缸自釀的葡萄酒給我們品嚐。兩代負責人猛開酒給大家喝，老實說，酒體有些粗糙，但「老字號」的威望，讓同行的人依然認真地喝了許多杯。

費南多很有效率地在五個小時內讓我們見識玻利維亞酒的不同類型，回程的路上，大家都有點微醺。瑪塔釅釅然地說：「雖然喝很多，但是我卻對這些酒沒有太深刻的印象，只知道每一家都標榜自己海拔有多高。」山姆則問費南多：「你住在塔里哈，平常會喝葡萄酒嗎？」三十五歲的費南多笑著說：「葡萄酒並沒有在我們的日常生活裡，我們平常還是在喝玉米酒跟Singani，我是這幾年帶導覽才開始喝葡萄酒。」車子又經過了我第一天抵達塔里哈時所見到的廣告看板，俊男美女陶醉地拿著酒杯喝著酒，他們的長相看起來不太像玻利維亞人。

前進卡馬戈

在喝了一輪塔里哈知名酒廠的葡萄酒後，我分外想念當時貝爾迪跟我分享的那支獨立酒莊的葡萄酒滋味，那瓶酒有自己的個性，而非像被過分馴化的大酒廠在意著順口性和特定的果香，她那鮮明的酒氣吸引著我踏上未知的西恩提山谷旅程。

本以為西恩提山谷是在塔里哈近郊，和釀酒師阿曼尼聯繫後，才知道酒廠位在距離塔里哈約兩百公里外的小鎮卡馬戈（Carmago），搭公車需要近四個小時。我翻著手邊的Lonely Planet，想知道卡馬哥這個「景點」有什麼東西，但這個地名不在旅遊指南的內容裡。很忐忑地買第二天的車票，但售票的小姐卻說：「明天大罷工，出城的公路會封路，妳要去卡馬哥只能今天去、且今天就要回來，明天罷工的訴求如果沒有得到回應，後天繼續罷工。」

我無奈地在WhatsApp打著：「明天大罷工，公路二十四小時封鎖，我沒辦法去，我下次再去找你好了。」但「下次」這個字眼在這個去哪裡都是遠方的國度，顯得縹緲，那是沒有意義的時間副詞，有如嘲諷。不知哪裡來的勇氣，我竟然改寫成：「如果方便的話，我現在就搭車去找你，應該四個小時後會到。」阿曼尼立刻回覆我：「我一直都在這個山谷，隨時等候妳。」

只穿著薄襯衫、短褲和夾腳拖的我，胡亂地跳上一輛塞滿人的小巴士，我被擠在中間。所有的人都是穿著厚厚的衣服，我的穿著不合時宜。小巴往山裡開，越開越高，陣陣冷風吹進關不密的窗，車廂內越來越冷（我才明白為何大家都穿大衣），鄰座的大姊說要翻過一個三千多公尺高的山頭才會到卡馬戈。山上的霧濃遮掩了道路，在大雨滂沱中我們緩慢前行。而巴士的雨刷竟然是壞的，只見前方玻璃是絕望的瀑布，彷彿置身逃不出去的深潭。車內又濕又冷，擁擠的空間讓我的背無法往

10月的塔里哈市區開滿了藍花楹。

後靠、腳只能維持八十度彎曲，整個人有如被困在水牢。我對於自己衝動地前去陌生之地感到懊惱；更恐慌的是，魯莽地決定要去，卻沒想好回來的交通，若半夜十二點以前沒回到塔里哈，我就會面臨道路封鎖，連之後要去阿根廷的計畫都會延誤。眼看我的玻利維亞簽證快要到期，我若被困在卡馬戈，連辦延簽的機會都沒有。

人被擠著不能動，相較於前後左右的乘客不管狂風暴雨呼呼大睡，我顯得非常焦躁。車子慢慢地爬過一個又一個的山頭，轉到山的另一側，天氣竟然改變了，是乾爽、舒服的氣候，連藍天都冒出來了。一個小時後，我在阿曼尼提到的博物館（Museo）招牌旁下車，但路邊像樣的房舍都沒有，司機露出一臉懷疑，只說：「祝妳好運！」我站在公路旁，沒見到博物館、更沒看到葡萄園，心想如果阿曼尼十分鐘內沒出現，我就要想辦法搭便車回塔里哈。

命運的召喚

等到第八分鐘，廢墟的一個小門走出一位亞洲面孔的高大男子，他跟我說嗨，然後說：「歡迎來到玻利維亞，罷工是常態！」阿曼尼（Amane Hagiwara）領我走到廢墟後頭的另一個鐵門，打開門是一個漂亮的庭院，庭院面對河谷，河谷旁零星散布著葡萄園，栽植的就像菜園般隨興。我們一路走到靠著天光照明的釀酒室，地上擺著一排在博物館才會看到的仿希臘羅馬時期釀酒的陶甕，不同於在博物館的陶甕是乾淨的展示品，這些陶甕有著頻繁使用的痕跡，有的還有葡萄皮黏在上頭。靠窗的工作長桌上擺著兩瓶已開瓶葡萄酒。阿曼尼說：「當我在四小時前知道妳要過來，我就把這兩瓶酒打開醒著，等妳來。」他看透我的心思和焦慮，接著說：「不用擔心，有一台計程車今晚要從卡馬戈回塔里哈，妳可以跟我另一個鄰居共乘回去。」路途是那麼遙遠、時間是那麼

塔里哈是一個很適合生活的城鎮，由
於和阿根廷邊界相鄰，可以吃到道地
的阿根廷烤肉（左下），亦有經典的
阿根廷甜點Alfajores（右下）。

有限，在道路封鎖之前盡情地喝吧！

　　年僅三十出頭的阿曼尼曾在法國學習釀酒，並在義大利和智利酒廠工作，幾年前他在南美洲旅行，就是想造訪每個酒區。當時他跟著許多背包客的路線，也到了烏優尼欣賞天空之鏡，沒料到在那裡竟然被搶劫，身上的現金全部被扒光。為了配合警察調查，他只好住在烏優尼一個禮拜。那裡的居民同情他的遭遇，除了招待他吃住外，還每天找話題安慰他，一聽說他是釀酒師，立刻跟他說：「我們玻利維亞也有葡萄酒。」阿曼尼說：「很像命運的召喚，我沒有立刻逃離這個把我扒光的國家，反而跑去了塔里哈看葡萄園和酒廠，就這樣一路看到卡馬戈，發現這裡。此地氣候乾燥、日夜溫差大，又沒有病蟲害，是超完美的釀製自然酒的地方。」原本傷害他最深的玻利維亞，竟然成了他安身立命找到釀酒方向的新天地。

　　阿曼尼的釀酒室裡沒有電力、沒有機器，一切都仰賴人工、一切遵循大自然。他說：「這裡很純樸、原始，以前玻利維亞的葡萄是掛在其他大樹上長的，是受到法國葡萄園的影響，才讓作物長得跟世界其他地方的葡萄園相同。」他不過濾酒、不改變酒色，完全無調整，一切的不介入就是要彰顯真實的味道。阿曼尼不以南美主流的馬貝克或卡本內‧蘇維翁釀酒，而是找當初西班牙人從加納利群島移植過來的葡萄如Criolla*等品種來釀造，他說：「這些非主流的葡萄，在玻利維亞活得很強壯，勢必代表這裡的滋味。」而玻利維亞白酒的品系Moscatel*，在他的自然釀造法操作下，有淡淡的清香味而非濃郁的甜氣，口感格外舒爽。

---

*　　Criolla葡萄品種適應力強，能生長在寒冷的地區，是南美洲重要的葡萄品種。

*　　古老的葡萄品種之一，西班牙文稱作Moscatel，義大利文稱Moscato，香氣撲鼻，入口如蜜，酸度宜人，適合釀製成甜白酒。

阿曼尼遵循自然的法則釀酒，釀酒室
（右上）非常古樸。

著迷自然本色

　　他好奇我的旅程，我說起前幾天參加塔里哈酒廠巡禮的經驗，阿曼尼無奈地說：「大酒廠勢必要迎合大眾口味，大部分的人對南美酒的期待就是智利或是阿根廷厚實的味道，酒廠為了市場考量，口味也會往阿根廷或智利靠攏。但玻利維亞的條件跟那兩個國家不同，在定位模糊之際，很適合發展自然酒，開啟南美酒的新局面。」阿曼尼的理想帶動起西恩提谷地葡萄酒農回歸自然的風潮，鄰近的幾個小酒廠這幾年也開始發展自然酒，對他們來說，這個離主流產區塔里哈有段距離的山谷反而有發揮本色的空間。

　　「不過說起釀酒的歷史，卡馬戈可是比塔里哈還要早發展。」阿曼尼像是命運選上他一樣地細數歷史。由於卡馬戈離16世紀時南美首富城市波多西（Potosi）很近（現在公車的車程約兩個半小時），當時致富的西班牙人在卡馬戈建了不少度假別墅，同時也把在歐洲栽植葡萄與釀酒的技術帶來卡馬戈，因此這裡算是玻利維亞葡萄酒發展的起源。阿曼尼說：「現在玻利維亞人很愛的Singani大廠Casa Real也是從卡馬戈開始他們的釀酒事業，後來才移去塔里哈。」我們靠著窗邊、喝完兩瓶葡萄酒，阿曼尼走到釀酒室深處，再去裝一瓶酒過來。窗外有一棵大樹，樹上纏繞糾結不清的葡萄藤，過去葡萄就是這樣掛在樹上狂野地生長著。

　　喝著喝著，阿曼尼的手機鬧鐘響了，他不好意思的說：「我女兒午睡醒來了，我把她抱過來。」夕陽曬著河谷，兩岸有如菜園的葡萄園發著金光，他們的模樣完全顛覆我對酒鄉的想像，但卻是緊緊的和在地風土連結。三歲的小女孩走進釀酒室，她輪廓深邃，開心地在橡木桶與陶甕間跑來跑去，阿曼尼說：「等弟弟長大一點，就可以兩個一起玩了。」弟弟兩個月前出生，是他們一家人在阿根廷旅行時誕生的，阿曼尼笑著說：「我們一家四口、四個國籍，我是日本籍、我太太是阿爾及

玻利維亞的葡萄酒釀造傳統可追溯至
16世紀西班牙殖民時期。

利亞籍、女兒是玻利維亞籍、兒子是阿根廷籍，我覺得這樣很好，讓他們從小就知道世界有不同的樣貌，不是僵化地做某一種人。」

從抵達到星星堆滿天，我的酒杯沒有空過。杯中的佳釀像是銀河，自然酒的探索旅程常常迸出讓人驚豔的流星。我有點害怕離開這以後，再也喝不到如此渾然天成的滋味。工作桌上已經是一排空酒瓶，我們就著月光，繼續喝著。阿曼尼說：「妳之後會去的蒂爾卡拉（Tilcara）和卡法亞特（Cafayate）都有執著釀自然酒的釀酒師，雖然玻利維亞是封閉的內陸國，但透過網際網路，相同理念的朋友還是會串在一起，儘管我們住的距離非常遙遠。」

一顆流星閃過、又一顆流星竄過，白天荒涼的谷地，入夜塞滿燦爛的星河。要載我奔回塔里哈的計程車來了，阿曼尼不好意思的說：「妳的行李很重嗎？可以託妳幫我送酒給在蒂爾卡拉和卡法亞特的友人嗎？」我欣然同意。他立刻包了六瓶酒給我，然後說：「另外兩瓶是給妳回塔里哈喝的，明天外頭在罷工，妳可以在旅館的院子裡好好喝酒。」

我是酒神的信使，開始南美公路的運酒旅程。

Tarija X Carmago, Bolivia

酒徒駐足notes

自然酒／阿曼尼的自然酒可以在拉巴斯的餐廳Gustu品味，Gustu：www.gustu.bo，該餐廳的餐酒搭套餐值得一試。

受歡迎的酒／主流酒廠Campos de Solana近年得了不少國際大獎，在超市可以買到入門酒款，想要喝得比較豐富可預約酒廠參觀，www.camposdesolana.com

送酒到
世界上
最高的葡萄園

阿根廷 · 蒂爾卡拉

Tilcara, Argentina

克勞迪歐和妻子伊妮絲（Ines）找到的不只是一塊地，還包括一座
山。他在三千多公尺的高山上栽植葡萄，在四千公尺高的天然洞穴
裡貯存葡萄酒。

他們一家人安於在河的另一岸，背對人煙、與自然共生。被河水困
住，出不了門就別出門；葡萄園死了三分之一，就再種再試、找出
適合這個風土的品種，外頭的世界不見得比這方天地豐饒。

離開玻利維亞的酒區塔里哈，查一下地圖，發現從玻國酒區到阿根廷北部的小酒區蒂爾卡拉（Tilcara）若自行開車只要六小時，於是決定不在玻利維亞的邊境城市停留，直接從酒區奔赴酒區。買巴士票的時候，想起釀酒師阿曼尼的叮嚀：最好搭白天的巴士去阿根廷邊境拉基亞卡（La Quiaca），那條公路太驚心動魄了。

拎著他託我帶去給蒂爾卡拉釀酒師的酒，拉著行李、跳上巴士，開始這趟跨國運酒的任務。本想在巴士上一路昏睡至阿根廷邊境，但一看窗外的風景，群山層疊、山路纏繞再纏繞，既壯觀又驚險的地貌讓人不敢闔眼。我緊抱著那瓶酒，深怕在算不清的髮夾彎中，佳釀跌得粉身碎骨。當下明白為何阿曼尼提醒我最好不要搭夜車，車程的後半段都像是走在山羊走的路徑，沒有鋪柏油路面就算了，路寬僅能容一台巴士穿越。前方的大貨車，每轉一個彎，後輪的輪子幾乎懸在空中，讓人捏把冷汗。

往山谷一瞧，一輛四輪朝天的巴士清晰可見，巴士的烤漆猶新，應該是近期墜落的慘劇。在這荒涼又沙塵滾滾的山谷裡，萬一車子翻落，旅人就算怎麼掙扎、聲嘶力竭地喊叫，注定無人聽聞，待有人發現事故現場，應該也是一切陷入靜默之時。山谷靜靜的，黃色、褐色、磚赭色的山也靜靜的，巴士慢慢地爬行，臣服在這扭扭曲曲的山勢曲線裡。原本Google Map預估約四個小時可達邊境，我們上上下下折騰近六小時才到邊境城市比亞松（Villazón）。從比亞松走過了一座橋，就是阿根廷最北的小鎮拉基亞卡（La Quiaca），辦了入境手續，抵達阿根廷了。

來阿根廷那麼多趟，這是第一回拎著別國的酒進入阿根廷，將玻利維亞自然酒平安運送至阿根廷酒友手中，是我此回入境阿根廷的首要任務。

（上）十四彩山吸引旅人走訪阿根廷
北部的荒漠風景。

（下）玻利維亞通往阿根廷邊界的公
路險象環生。

那裡是荒漠，哪有葡萄園？

「Jujuy、Salta、Buenos Aires……」（胡胡伊、薩爾塔、布宜諾斯艾利斯）一蓋好入境戳，邊境的計程車喊著一路向南的地名，在離布宜諾斯艾利斯1,800公里、舉目看不到任何遮蔽處的地方，聽到有計程車嚷著要去有南美巴黎之稱的布宜諾斯艾利斯，有一種魔幻感。那個城市屬於另一個世界，不存在於此刻一會兒下冰雹、一會兒塵土飛揚的乾燥宇宙。

我拉著行李箱要去巴士站，一個計程車司機緊黏著我，說著要不要去胡胡伊（Jujuy），我搖頭；要不要去薩爾塔（Salta），我搖頭；那我們一起去布宜諾斯艾利斯，我搖頭。最後他竟然說出：要不要去烏蘇懷亞（Ushuaia）！一聽到要從阿根廷的最北包車到阿根廷的最南，這是長達4,345公里的距離，我不禁笑了出來。他看我笑，自己也忍不住的大笑。我說：「蒂爾卡拉！」他說：「很近啊！搭巴士大概四個小時會到。」他問我：「到蒂爾卡拉後要去彩虹山嗎？可以找那邊的朋友帶你去。」我說：「我要去一個酒莊，拜訪朋友。」他說：「那裡是沙漠、長不出什麼東西，哪裡有酒莊？」

抵達蒂爾卡拉的旅店時，已經是晚上十一點了。思索今日一早從玻利維亞一路到阿根廷的路程，多半是乾涸大地。到了阿根廷後，雖然海拔驟降、公路是一片坦途，但沿途盡是黃土。遠方的山因為富含礦物質加上地殼變動擠壓，呈現紅色、橘色、黃色的奇幻線條，但這段公路上我沒看到什麼農作物，不禁對於預定要去拜訪的葡萄園感到懷疑。

彩虹山下的葡萄園

自從被賦予運酒的使命後，景點變得不重要。雖然置身在阿根廷北

部最重要的景點彩虹山附近（又稱七彩山、甚至有十四彩山），也沒有特別想要立刻去觀光的慾望，反倒是想趕緊見到藏在這片荒漠中的葡萄園。翌日一早，我拎著從玻利維亞險路運過來的酒、搭著公車，拜訪九號公路上1,799公里處的Viñas de Uquia酒莊。公車司機很狐疑地放我下車，站在空曠的九號公路上，一側是層層疊疊的七彩山，另一側則是黃土的地貌。我感覺不出哪裡有「生」機。

細看路旁的線索，瞥見「Viñas de Uquia」的指標、循著指標走進公路旁的小岔路，我半信半疑地往裡頭走，走了一百步都嗅不到人跡，但路旁開始出現灌木林；再往裡頭鑽，聽到了水聲、然後眼前有一條河。河的對岸，白楊樹的後方，可以看到一棟低調的房子，我猜那就是我要送酒的人家。為了抵達對岸，勢必要涉水穿過小溪，我捲起褲管、把酒瓶放在後背包，拎著鞋子、踩著春日裡大概不到十度的溪水，走到對岸。想起阿巴斯的電影《何處是我朋友的家》，電影裡的小朋友是送作業本，而我則是為了送一瓶酒，翻山越嶺、穿越國界，最後還須涉水前往一個從未謀面的「朋友」家。

過了河，眼前一片綠意，春日的葡萄園抖擻地吐露枝枒，葡萄園的背景就是彩虹山粗獷的地貌。不禁讚嘆這些人好會找地方躲藏，總在鳥不生蛋之處，找到一方綠洲。

保羅‧索魯在《老巴塔哥尼亞快車》一書中記載南美火車之旅，他對這一區是這樣描述的：「現在很容易了解，為什麼威爾斯人、德國人和義大利人會來到這裡，並從此銷聲匿跡，把他們的文化運進山谷裡，再不管化外世界的紛紛擾擾。」

銷聲匿跡在山谷裡

克勞迪歐（Claudio）就是其一，他是義大利人的後裔。見我走進葡

克勞迪歐在海拔三千公尺以上的高地
栽植葡萄，在此釀酒、生活，一家人
銷聲匿跡在山谷裡。

萄園，他的狗先衝出來跟我打招呼，接著就見到身穿阿根廷傳統羊駝編織毛衣的克勞迪歐跟我揮著手、邀我進去喝一杯。我掏出阿曼尼託我帶給他的葡萄酒，跟他解釋阿曼尼以玻利維亞原生葡萄所釀製的自然酒，他端視那瓶色彩淡雅的葡萄酒許久，然後對我又親又抱，不斷地謝謝我把酒運來、謝謝阿曼尼。他以為我和阿曼尼是舊識，我說我也是這趟旅行才認識這位奇才。

坐在他那赭紅色房子的前院，眼前是一小片葡萄園，另一塊土地上則種植馬鈴薯、蒜頭、大蔥、玉米、洋蔥、藜麥，還有小白菜。一聽我來自台灣，他立刻帶我去看他的小白菜，他說：「這是亞洲來的品種，跟你們的白菜像不像。」克勞迪歐摘了一片葉子給我吃，我從沒生吃過小白菜，在四周都是紅磚色的乾燥大地上，咀嚼著小白菜的莖脈，味道是荒漠湧出甘泉的甜美。

我說：「你的葡萄園就是這一片嗎？」

克勞迪歐搖頭說：「這只是一小部分，主要都在海拔3,329公尺高的地方。」

他繼續說：「我曾經在布宜諾斯艾利斯工作多年，七年前退休，當時我就想找一個安靜的地方，和老婆、孩子過自己想要的日子。」

而他想要的日子，就是可以栽植蔬果，可以養牛養羊，過著自給自足的人生，一切不外求。

我說：「那為何會想種葡萄、釀酒呢？」

他笑著說：「我的生活不能沒有葡萄酒，既然要自給自足，葡萄就自己種、酒就自己釀。」

當時，克勞迪歐發現這塊在烏瑪瓦卡（Humahuaca）谷地的土地，看到乾淨的溪水、漂亮的彩虹山，再加上遠離塵囂，立刻決定在此落腳，開始他的築夢計畫。克勞迪歐以有機的方式栽植所有的作物，他的農場是胡胡伊省（面積比台灣還大，53,219 平方公里）唯一的有機農

（上）蒂爾卡拉旅店的外觀多半是紅磚色，和當地地景融為一體。

（下）克勞迪歐在高山上打造質樸的品酒室。

戶，其中，葡萄酒就是最夢幻的計畫。

世界最高海拔的葡萄酒

克勞迪歐讓我品飲甫得到Tim Atkin*認證為95分的2016年馬貝克（Malbec），一口啜下，味道乾淨、空靈，把馬貝克慣有的水果味提升到另一個等級，彷彿是供奉諸神的仙果滋味。克勞迪歐說：「苗種是來自門多薩（Mendoza），但高海拔的葡萄需要更長時間的熟成，所以我的馬貝克非常淡雅、純淨。」

在玻利維亞旅行時，每每要喝葡萄酒，都會看到酒標上標誌著：來自高海拔的葡萄酒。基本高度都是2,000公尺起跳，一路從2,000喝到2,200、乃至於2,600公尺，海拔成了這個大酒區最重要的身分認證。我一直以為玻利維亞是世界最高海拔的葡萄酒產地，但在拜訪阿曼尼時，他笑著說：「最高的葡萄園不在玻利維亞，而是在阿根廷的蒂爾卡拉。」我完全是因為他這句話而對蒂爾卡拉心生嚮往。當時，阿曼尼還說：「那是一個你初看會覺得一無所有的地方，可是卻有辦法長出葡萄、釀出好酒。」

繼續品飲克勞迪歐的酒，很享受清透乾淨的質地，但在明亮的酒質裡又有深度，那深度不是厚實，而是像海水一樣又透又深，具穿透力。不同於玻利維亞海拔越高，酒標設計越虛幻，克勞迪歐釀製的葡萄酒竟然是以礦工的形象作為酒標。他說：「這是我的父親，他是礦工，一輩子都在礦坑裡，我的酒就是要獻給他、獻給所有的礦工。」克勞迪歐的家鄉在雲端火車（Tren de las Nubes）會通往的阿塔卡馬高原（Puna de

---

* Tim Atkin是英國葡萄酒記者與作家，獲得葡萄酒大師（Master of Wine, MW）認可，這是全球葡萄酒專業領域中的最高頭銜，全世界目前只有300多位葡萄酒專家取得MW的資格。

Atacama），他所出生的小鎮Minala Casualidad以挖礦為業。孩提時代在礦區長大的他，到青少年時期移至胡胡伊市區讀書，當時他就對烏瑪瓦卡河谷一帶有極大的好感，他說：「這裡看起來很荒涼，可是人們的表情卻很快樂。我當時沒想到日後會來這裡定居。但當我退休時，第一個閃過的念頭，就是回來這裡找一塊地。」

貯存葡萄酒的礦坑

克勞迪歐和妻子伊妮絲（Ines）找到的不只是一塊地，還包括一座山。他在3,000多公尺的高山上栽植葡萄、在4,000公尺高的天然洞穴裡貯存葡萄酒。他開著吉普車帶我去看葡萄園，吉普車走在他自己開出來的「山路」上，既崎嶇又陡峭，窄窄的路徑纏繞著磚紅色的山。我們繞啊繞、離開了溪谷、他的房子越來越小，最後成了一個小黑點；早上我所涉水而過的小溪，也成了一條白線。山下已經沒什麼人煙了，開了一個多小時上山，雲霧一陣一陣地湧來，我們騰雲駕霧駛向化外之地。

拐了好幾個大彎，眼前突然出來一片片的葡萄園，他們依著山勢而長。只見葡萄樹光禿禿的枝幹立在沙土間，我無法想像他們在如此嚴苛的環境裡要如何開花結果。葡萄園伴生的植物是仙人掌和蕭瑟的蘆薈，仙人掌長得挺拔又張狂，利刺在陽光反射下是一根根亮眼的銀針，對比葡萄園的蕭索，更顯得生長環境的孤寂。克勞迪歐指著手邊的葡萄園說：「這一區都已經枯死了。這個冬天沒雨又冷，我的葡萄園死了三分之一。」他把馬貝克種在海拔2,750公尺到3,329公尺的高山上，一切靠天養。每回到葡萄園工作，克勞迪歐都必須開上將近兩個小時的險峻山路，已經六十多歲的他，滿足地說：「這就是生活啊！我在這裡工作很開心，我很感謝老天爺幫我照顧這一片那麼獨特的葡萄園。可惜現在已經過了中午，要不然我還想帶你去看我的酒窖，那在4,000公尺高的山

烏瑪瓦卡谷地沿線城鎮的居家布置有
濃厚的民族風，彰顯在地原住民文
化。

洞裡，還要再開兩個多小時的車。若上去，我們下山就天黑了，太危險了。」

念及天然的山洞是渾然天成的低溫酒窖，克勞迪歐把所生產的酒都運到4,000公尺的Cava Mina Moya。對他來說，那是這座山的聖地，每年的心血結晶都供在裡頭，他感嘆地說：「我父親一輩子都活在地底與洞穴的世界，可能因為如此我才會那麼執迷於到高的地方種葡萄，想要活出跟父親截然不同的生命風景。但當我到高海拔、毫無遮掩的地方拓展我的新人生時，吸引我的卻是高山上的洞穴，其實是另一個礦坑。」

一天活過四季

山上的風越來越刺骨，遠方的彩虹山因著天光而有不同的色澤，像是磚紅色系的調色盤，顏色一直在變換。看起來孤絕的地方，因為光線的改變而有自己的神采。我們開著車緩緩下山，靜靜地看著光線在山谷的移動，開著窗，領受著造就高山葡萄的烈陽、呼吸著乾燥的空氣，感受著一天之內明顯的溫度變化。克勞迪歐說：「這裡的冬天和夏天是並存的，一天裡可以活過四季。」

他問起了我的玻利維亞旅程，問起了阿曼尼。他說：「我和阿曼尼是在網路上認識的，阿曼尼潛心釀製自然酒，透過一些資訊知道我在做有機酒，他就這樣翻山越嶺的跑來找我。我們因為酒而變成好朋友、也因為酒我才認識妳。」時間是下午三點半，克勞迪歐說：「就隨便一起吃個午餐吧！」半個小時後，從廚房端出來的「隨便吃吃」是烤羊排，繼續喝著以馬貝克、席哈、梅洛混釀的紅酒，味道和諧得像是傍晚溫柔的斜陽，舒服且絲滑。

他的妻子伊妮絲剛從學校接小孩回來，加入我們的酒局。克勞迪歐是追夢人，曾在墨西哥讀書工作十幾年的伊妮絲則相對務實。我讚嘆著

（上）克勞迪歐在高山上一圓釀酒夢。（左下）高度是阿根廷西北酒區和玻利維亞酒區最常彰顯的標誌。

（右下）克勞迪歐的民宿餐廳供應非常美味的在地料理。

這裡簡直是夢土，伊妮絲卻無奈地說：「是很棒的地方沒錯，但有時候冬天河水暴漲，我們的車根本過不了河。我前年在水漲很高的時候試圖開車過河，結果車子報銷，還好人沒事。」克勞迪歐笑著說：「這就是大自然的力量啊！」

他們一家人安於在河的另一岸，背對人煙、與自然共生。被河水困住，出不了門就別出門；作物死了三分之一，就再種再試、找出適合這片風土的品種。外頭的世界不見得比這方天地豐饒，尤其走訪期間阿根廷經濟低迷、幣值貶了一半，伊妮絲說：「不管政府爛到什麼地步，我們都可以自給自足。外面的紛擾，跟我們無關。」

我們繼續喝著酒，外面的世界，越來越遠。

蒂爾卡拉有多家頗具風情的小酒館。

Tilcara, Argentina

🐾

酒徒駐足notes

克勞迪歐的農場取名為AYNI，網址www.ayni.tv，經營的民宿Viñas de Uquia，可透過booking.com訂房。

這個住宿點距離較熱鬧的蒂爾卡拉鎮（Tilcara）搭巴士要15分鐘；若自行開車，相當方便。依賴大眾交通工具的旅人，可在此定點度假，住上幾晚享受獨特的時光。

克勞迪歐接受旅人預約品酒、參觀葡萄園、甚至到4,000公尺的山洞看酒窖。他規劃多款套裝行程，可結合健行、賞鳥、品酒或特色餐酒宴等活動。時間有限的旅人，可到這裡好好吃頓飯、喝瓶酒，主廚Agustina對料理很有想法，所用的食材都取自於克勞迪歐的農場。

理想的
酒日子

阿根廷・卡法亞特

Cafayate, Argentina

如果要尋找一個可以每天散步逛酒莊、從早喝到晚的酒鄉度假，卡法亞特（Cafayate）絕對是最適合過理想酒日子的酒區。

我理想中的酒鄉度假是可以住在一間舒適的旅店，每天睡到自然醒，吃完快要收攤的飯店早餐後，到游泳池裡游個兩圈、曬曬太陽；然後，出門散步，逛一兩家酒莊、找一間餐廳好好的吃一頓飯、喝一瓶酒。傍晚，路過一間酒舖，再買一瓶晚餐酒；經過一間肉舖，現切一盒佐酒的火腿與乳酪。晚上，坐在旅店的院子，配著小點慢慢品飲，回味慵懶的時光。位在阿根廷西北部的酒鄉卡法亞特，讓我想像中的放縱酒鄉度假化為真實，而且比幻想的更加美好。

前進阿根廷第二大酒區

我喜歡去酒鄉，但對於人在酒鄉可不可以縱情飲酒、放鬆地過日子，其實不抱太大的期待。去過義大利托斯卡尼、法國勃艮地、甚至阿根廷門多薩，這些酒鄉面積都很龐大，從這個酒莊到那個酒莊通常都要靠開車移動，但喝了酒的我，是不可能開車的。為了不開車，就需要找不喝酒的旅伴，這也代表這趟飲酒之旅的餐桌上，是有一個人不喝酒的（多掃興）。至於找代駕、或是搭計程車，都是太高成本的選擇。所以我的理想酒莊旅行，是可以靠著步行就能盡興逛酒區，而卡亞法特就是一個很適合散步的酒國夢土。

一般人對阿根廷酒的認識除了門多薩，還是門多薩。但我一路從玻利維亞和阿根廷的邊界喝下來，發現阿根廷北部又冷又乾的高原地形，可以釀出味道立體、讓人驚豔的好酒。由於玻利維亞釀酒師阿曼尼託付的運酒使命，我很幸運地得以造訪位在蒂爾卡拉的世界最高酒莊Viñas de Uquia；而另一瓶要宅配的地點就是在卡法亞特的酒莊Utama。

跨國運酒的旅程從阿根廷的胡胡伊省（Jujuy）、進入了薩爾塔省（Salta）；從彩虹山的紅磚色石礫風景，轉進了因為風化作用而造成大片奇石與幽谷的卡亞法特。兩者的地貌同樣乾燥、同樣荒涼，但不同於

（上）在卡法亞特市中心就可以散步到多家酒莊，酒莊內的餐廳也很迷人。

（下）我所下榻的Vieja Posada是很夢幻的品酒旅行居所。

蒂爾卡拉酒莊分散、規模較小，當巴士靠近卡亞法特市區時，一畝畝的葡萄園印入眼簾，公路旁的橡木桶裝飾、富情趣的酒莊標誌，讓人對阿根廷第二大酒區充滿期待。下了巴士、拿了行李，巴士司機還熱情地跟大家說：「巴士站對面就是一間酒廠，可以進去喝一杯再上路！」

身心安頓的旅店

拉著行李、看著地圖，往我要下榻的旅店走去。這段500公尺的路程，經過了兩個小酒廠，從外頭張望，廠內的西班牙殖民風格的庭院、一桶疊著一桶的橡木桶、堆滿牆垛的空酒瓶，讓人更加快了腳步走向旅店，打算迅速安頓一切、趕緊開喝。旅店Vieja Posada門口放置一個橡木桶當作邊桌，走進內院，葡萄藤攀上西班牙式的拱廊、迴廊展示古老的釀酒機具，如同店名Vieja（老），營造出老時光的悠閒氣氛。管家艾達（Ada）帶我去面對游泳池的房間，房間小巧典雅、房外還有舒服的搖椅，託阿根廷披索大貶之福，一晚才台幣550元。一聽這價格、再看這情境，立刻又追加兩晚，艾達笑得很開心，還給我一張周邊的酒莊地圖，她說：「往北走、往南走都有可以試飲的酒莊，他們都在步行十分鐘的距離之內。許多人只知道去門多薩喝酒，殊不知在卡法亞特喝酒度假才愜意。」

艾達熱心地跟我說了周邊的酒莊狀況：Bodega Nanni生產有機酒，花一點錢參加品酒與導覽，可以喝到五款很超值的酒，他們的餐廳很美，但在那裡開酒吃飯不划算；Nanni對面的Bodega El Transito的品酒吧檯很摩登，應該是小鎮裡最具現代感的吧檯，品酒費用（約台幣50元）可以抵買酒的錢；離這裡一個街區的Bodega El Porvenir是很有風格的小酒廠，也有生產有機酒，他們的多肉植物很漂亮；在市面上常看到的Bodega Domingo Hermanos，從這裡走過去只要十分鐘，別忘了喝

（上）Vieja Posada 每個房間外都有舒服的休憩空間。

（下）卡法亞特的葡萄酒博物館很有看頭，值得一訪。

他們的特倫托斯（Torrontes）＊，那是這裡很經典的白酒風味；Bodega Domingo Hermanos旁邊的葡萄酒博物館很有看頭，應該是阿根廷最好的葡萄酒博物館，裡頭的酒吧還不錯，可以點杯酒配兩個阿根廷餃子（Empanada）……

我越聽越陶醉，慶幸自己有大把的光陰可以沉醉在這個小鎮。

遇見巴黎德州

比起之前造訪動輒二、三千公尺高的酒區，卡法亞特的平均海拔為1,600公尺（約武陵農場的高度），地勢上平緩許多。在這裡自然而然的過著以酒為中心的日子，逛酒莊、訪酒舖、買酒食、說酒語，生活離不開酒。抵達的第三天，我要送酒的對象沙夏（Sacha）傳來簡訊：「今天下午可以見面，來我們的酒廠喝一杯吧！」查了一下地圖，發現他的酒廠Utama距離市中心約二十五分的腳程。我再次拎著阿曼尼細心釀製的玻利維亞自然酒，踏上宅配之路。

一步一步離開熟悉的小鎮街廓，過了一座橋後，眼前又是阿根廷大部分國土的樣貌——荒涼；不禁好奇為何阿曼尼的朋友都住在前不著村、後不著店的地方？離開卡亞法特市區的範圍後，地面就成了沙土地，每踩一步就揚起小小沙塵，塵土飛向路旁連綿不斷的葡萄園，一顆顆像是胡椒粒大的青綠葡萄串掛在樹上，洋溢春意。或許是因為之前的旅程多半是高原或是荒漠，許久沒看到水嫩的綠意，我走著走著竟因為嗅到春天的氣息而感到激動。一路行至Y字路口，Y的右邊掛著一個手寫的Utama酒莊指標，左邊的指標竟寫著Paris & Texas（巴黎德州）。望著眼前滿是皺褶的道路、人跡罕至的地景、再加上遠方連綿不絕不知會連

＊　特倫托斯（Torrontes）口感圓潤，味道豐富，為阿根廷大量種植的白葡萄品種。

去哪裡的山，溫德斯電影《巴黎‧德州》氣氛襲來，在這裡釀酒的人，莫非是想遁世直到世界末日？

藝術家釀的酒

路越走越窄，正在疑惑是否迷路時，前方有人大叫「Lily」，酒莊主人沙夏已經在門口等我了。門旁有一塊用巨大的原木刻寫著：Utama Vino Artes，沙夏說：「我們的酒莊是酒和藝術結合的園區。我爸爸是畫家、我和我媽都是陶藝工作者，所以就將我們會的東西和美酒一起呈現。」

我把阿曼尼的酒遞給他，他興奮地看著那淡粉紅的色澤，一直跟我說謝謝，然後說：「妳從阿曼尼那裡大老遠跑來，一定渴了吧，我們先來喝幾杯。」我們經過一個大水槽，牆上的壁畫展現一群人開心踩葡萄的模樣，沙夏說：「這是我爸爸畫的壁畫，他把我們釀酒的過程畫下來，我們現在依然是用腳踩葡萄，萃取汁液，一切都尊崇最原始的方法。」

我瞬間明白何以他會跟阿曼尼投緣，他的釀酒室也是不用任何電力、機器，完全採天然的方式來釀製自然酒。我說：「釀酒室的樣子很像阿曼尼的。」他笑著說：「真的嗎？我很想去他那裡看看，但一直沒機會。我們是網友，但是因為想要做自然酒的理念相同，所以就很常分享彼此的經驗。對玻利維亞來說，釀製自然酒是很自然的選擇，因為他們葡萄酒產業剛起步；但對阿根廷來說，釀製自然酒是對環境與土地的反思，我們工業化的釀酒方式快要謀殺我們的本性和環境了。」

他倒一杯用在地品種Criolla釀的紅酒給我試飲，豐富的果香融合輕盈的酒體，喝起來有爽口的明亮感，莓果味幽幽地從喉頭湧出。沙夏說：「Criolla是強悍的品種，我覺得它可以表現出卡法亞特位在高海拔

（上）Utama酒莊是酒和藝術結合的
園區，處處可見釀酒人的創作與巧
思。

又處在氣候乾燥的風土條件，這是跟門多薩完全不一樣的味道。」由於阿根廷葡萄酒最具代表性的品種是馬貝克（Malbec），為了銷售，卡法亞特大部分的酒廠也是以馬貝克作為紅酒的主要酒款，沙夏不解地說：「我們離門多薩1,000公里，但很多同業都想釀出門多薩馬貝克的味道，這是很不合理的，不同的土壤和氣候，怎麼會有同樣質地的酒！」接著，他讓我嘗試卡法亞特最具代表性的白酒特倫托斯（Torrontes），乾燥的環境造就出奔放的香氣，沙夏指著院子裡爬滿花架的葡萄藤驕傲地說：「那就是特倫托斯，長得很快、葉片很大、生命力強，很能代表卡法亞特的風土氣質。」

釀酒室的後方是他的葡萄園，葡萄樹下開滿野花，還有其他共生的草本植物，繽紛的景象和在典型葡萄園見到的整齊劃一、絕無其他植物生存的園子完全不同。沙夏掬起一把土說：「妳看，就是因為有這些花草的存在，才能幫忙涵養土壤的水分，讓這塊偏乾燥的土質得以調節。而且作物的生長本來就應該是多樣性，單一栽種葡萄其實很傷地力。」春日的葡萄園生機盎然，尤其形形色色的野花，更讓他的葡萄園增添豐富的色彩，沙夏滿足地說：「我們只想單純地表現這塊土地的葡萄酒風味，釀自然酒是天經地義的事！」

酒精催化的藝術生活

葡萄園旁有一間畫室，我們捧著酒杯到畫室裡繼續聊。小小的空間裡有多幅大尺寸的油畫，畫作主題多半和釀酒人、葡萄園有關，大部分是沙夏父親的畫作。畫室的另一側則是沙夏的陶板創作以及用陶土捏製的作品，他捏出豐富的人像表情與姿態，所創作的人物也是與葡萄酒產業的芸芸眾生有關。我很喜歡他捏製出一輛載滿乘客的巴士，巴士上每個人都有大大的鼻子、黝黑的皮膚、誇張的表情，巴士的路線寫著：

「Cafayate－Salta」（卡法亞特往薩爾塔），公車頂層擺滿了酒瓶，諧趣地表達此地釀酒人把酒銷到大城市薩爾塔的實況。沙夏說：「釀酒的生活提供藝術創作的靈感，我是在葡萄園長大的小孩，所以我的創作其實也會反映我的生活、我們的文化，自然酒對我而言就是天人合一的創作，它是這塊土地表現自我的作品。」

教繪畫與陶藝是沙夏釀酒生活的另一面，他們一家人希望透過Utama酒莊呈現卡法亞特的藝術面向。沙夏以父親所繪製的酒農腳踩葡萄的油畫當作Utama葡萄酒的酒標，而每一個軟木塞也都有他們手繪的標記，對Utama來說，葡萄酒也是藝術創作，而這個藝術品是以卡法亞特渾然天成的風土條件呈現。我花了一個下午，遊走於葡萄園、釀酒室與畫室之間，像是置身於一個以葡萄酒為主題的開放藝文空間，戶外的庭院總有讓人眼睛一亮的雕塑或陶藝創作；再轉幾個彎，紫得很燦爛的薰衣草像是一方巨大的床，讓人忍不住坐臥在其間，邊品著酒、邊看著天色的變化。這裡的葡萄長得很野，彩霞的變化亦狂放不羈，雖然是很小的酒莊，卻有奔放的靈魂。

夜晚，大教堂前的廣場傳來Peña音樂，沙夏說：「不同於布宜諾斯艾利斯人在跳探戈、聽探戈，阿根廷西北部主要的民俗音樂是Peña，這是我們的靈魂樂，唱出這塊土地的喜怒哀樂。」我走進人聲鼎沸的餐廳La Casa de Las Empanadas，歌手在院子的小舞台上激動地唱著、吉他手忘情地撥動琴弦、鼓手的節奏敲進大家的心跳，每個人跟著拍手、海派舉杯。一群年輕人邀請我同桌，陶壺盛的酒一直注入我的酒杯，牛肉口味、起司口味、玉米口味、雞肉口味的烤阿根廷餃子（empanadas）輪番上桌，「不要去布宜諾斯艾利斯，待在卡法亞特吧！這裡酒好喝、肉好吃、物價低、人又善良，是真正的阿根廷！」鄰座的酒友一直重複著這句話。

沙夏一家都是藝術家，上圖的壁畫是
他父親畫的釀酒圖，下圖為沙夏製作
的陶藝作品。

翌日，我到巴士站改了往布宜諾斯艾利斯的車票，任性地賴在卡亞法特繼續過著酒日子。

Cafayate, Argentina

酒徒駐足notes

理想的酒日子旅店Vieja Posada／www.viejaposada.com.ar
酒莊Utama／FB：Utama Bodega-Taller Artesanal
好吃的阿根廷餃子餐廳La Casa de Las Empanadas／Ntra Sra Del Rosario 156, Cafayate

阿根廷餃子（empanadas）是旅行
阿根廷最常吃到的風味，卡法亞特有
多種口味的阿根廷餃子。

在門多薩，
我走路逛酒莊

阿根廷 · 門多薩
Mendoza, Argentina

在星空下喝著Brut，立體的氣泡就像星星一樣粒粒分明在舌尖跳躍。在阿根廷葡萄酒產業高速發展的門多薩，我們莫名地以最低速的方式旅行，只想直覺地以眼耳鼻舌身感受這塊土地。

從智利聖地牙哥搭著夜車，穿過了安地斯山脈，終於抵達山脈右側的阿根廷知名酒區門多薩（Mendoza）。在台灣喝太多太多阿根廷跟智利的酒了，門多薩幾乎就是南美酒的代名詞，但真正抵達源頭竟有點陌生與摸不著頭緒。

一出巴士站，眼前是一片無生氣的水泥城市景象，和想像中酒鄉的愜意有巨大的落差。或許是因為在台灣的紅酒舖，總是把阿根廷酒展示得密集又奔放，各式各樣又是貓、又是狗的酒標，讓人以為一到門多薩就該立刻看到琳琅滿目的酒。然而阿根廷各地的巴士總站老是展現一個地方的寂寥與不知如何是好。一個又一個知名酒莊的燈箱填滿空洞車站的牆面，在人來人往的候車廳裡，燈箱廣告只是遠方的背景，嗅不到酒氣。

心願很小的門多薩之旅

門多薩的面積將近15萬平方公里，是阿根廷最大的酒區。對於要如何探索超過台灣四倍大又超人氣的酒鄉，我一頭霧水。想去名聞遐邇的Catena Zapata、想去備受好評的Rutini、還想去近年來風評不錯且酒窖裡還擺著一架鋼琴的Salentein，但這些酒廠散布在門多薩不同區塊，交通時間往返動輒兩三個小時，對於只想懶洋洋地在酒鄉度假的我來說，造訪這些名牌都過於舟車勞頓。況且，我一點都不想在此開車旅行，我只想欣賞葡萄園、盡情暢飲。幾經評估，決定放棄朝聖名廠，打算把門多薩的假期鎖定在離巴士總站附近、小型酒莊集中的梅普（Maipu）地區。在訂房網站選定了一間有葡萄園和吊床的旅店Posada Cavieres，只想探索其方圓5公里內可以步行造訪的酒廠。在名門林立的門多薩酒鄉，我的度假方式和區塊，好渺小，但，我無所謂。

在巴士總站招了一輛計程車前往梅普，司機對我們要去的旅店感到

（上）安地斯山脈東側的門多薩為阿
根廷最重要的酒區，因為氣候穩定與
日夜溫差大，造就栽植葡萄的極佳環
境。

疑惑，但還是硬著頭皮往梅普開。當車子離開門多薩市區，公路兩旁是像綠色迎賓毯的葡萄園，葡萄樹一棵牽著一棵、一片接著一片到好遠好遠的地方，它的盡頭是覆蓋白雪的安地斯山脈。看到葡萄園和雪山相映的景致，酒夢成真的幸福感湧來。想起阿根廷友人很愛講的一個偽科學：

「太陽從哪裡升起？」友人問。

「當然是東邊啊！」我說。

「對的，也就是說位在安地斯山東側的門多薩所吸收的陽光比位在安地斯山脈西側的酒區豐富許多，妳懂的。所以別提安地斯山另一邊的國家……」

車子駛離柏油路，開進兩側行道樹為白楊樹的碎石子路，白楊樹的後方是浩瀚如海的葡萄園。司機說：「依照指標，這家旅館應該就在這一片葡萄園裡的某一處。」葡萄園如大海，要找那小小的酒莊民宿彷彿大海撈針。司機小心翼翼地在碎石子路前進，路況顛簸得有如在海浪間沉浮，我們仔細看著路旁是否有指標指向預訂的旅店。經過了猶豫、疑惑和覺得可能迷路的十五分鐘車程後，突然瞥見Posada Cavieres的招牌，「就是這裡，轉進去！」我和友人同時大喊。車子轉進一片葡萄園，然後出現一個橘紅色的平房建築，就是這裡了。轉身揮別司機，瞥見安地斯山脈就在前方，門多薩的酒旅行無須遠求，就在這裡，我徹底地被這方有安地斯山脈守護的葡萄園吸住。

會吸人的土壤

旅店老闆漢斯（Hans）是比利時人，已經在門多薩住了十年，他說：「最初就是在阿根廷旅行、跟門多薩的女人談戀愛，後來結婚、生子、離婚，孩子的媽媽有其他的人生打算，但我愛上門多薩無法離開，

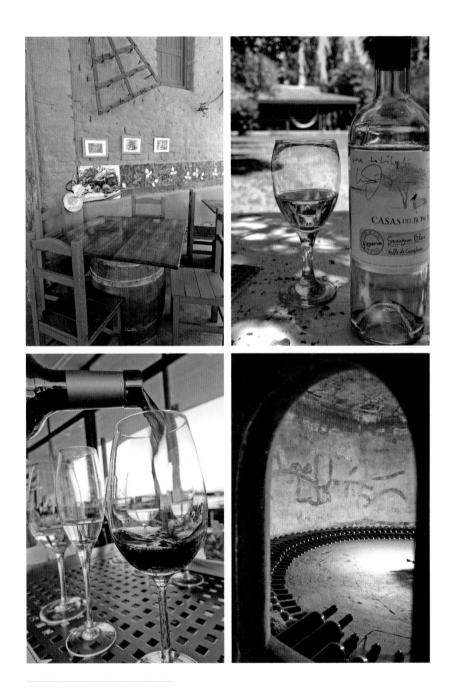

靠步行走逛梅普地區的小酒廠，就可
以看到多樣的酒莊風景。

所以就經營酒莊民宿、釀一些葡萄酒，陪小孩長大。」他看著兩個正在游泳池裡玩水的小男孩，接著說：「門多薩的氣候很穩定、很乾燥，相對於比利時多風、多雨、多雲的鬼天氣，這裡真的是天堂，既然是天堂，就會很想跟不同的旅人分享。」Posada Cavieres就是他想呈現的完美門多薩樣貌——讓旅人可以隨意走逛的葡萄園、大空間的房間、寬敞的庭院、無拘無束的游泳池、溫馨美味的餐廳。漢斯的旅店規劃非常適合我這種只想黏在一個定點度假的需求，假期動線只需在葡萄園、餐桌、泳池、床舖間移動。「你們也是可以到外頭走走，靠步行能造訪附近至少三家酒莊，每一家大概都是三十分鐘的腳程。」漢斯說。拿好鑰匙、放好行李，我和旅伴兩人立刻在庭院的大樹下開了一瓶漢斯所釀的馬貝克（Malbec），邊喝酒邊望著無邊無際的葡萄園。

慢轉的時光

　　曬太陽、喝酒、發呆、看書，是門多薩時光的基調，春日的酒莊遊客尚不多，整個旅店、游泳池、葡萄園就只有我們兩個人獨享。昨日在庭院喝馬貝克、今日下午在游泳池畔喝氣泡酒、晚上再轉到葡萄園聽著風吹在葡萄葉的婆娑聲響喝著沁涼的特倫托斯（Torrontes），每個角落、每個時光都是為了喝酒而存在。當喝遍旅店每個場域，一天差不多也快結束；晚上，再到餐廳吃著年輕主廚克里斯多福（Christopher）的烤牛排、繼續暢飲。克里斯多福來自布宜諾斯艾利斯，因為喜歡門多薩，而決定在這裡生活與工作。他晚上在Posada Cavieres張羅晚餐，翌日的中午則在隔壁的酒廠Familia Di Tommaso做午餐，並幫忙釀酒。他說：「在門多薩大家都是慢動作，太急的人來這裡度假會不適應，但就是要慢慢的，才能體會這裡的酒、這裡的食物，安地斯山下的歲月是緩慢的。」

一開始，我有點受不了克里斯多福的慢，他說話慢、動作慢。由於阿根廷的晚餐時間普遍都是八點以後，更多人是九點以後才吃晚餐。第一晚苦等九點的晚餐開飯，我和友人早已飢腸轆轆，前菜阿根廷餃子（empanada）一下子就被我們嗑完，然後邊喝著酒邊巴望著主菜上桌。看著克里斯多福慢條斯理地料理，巨大的饑餓感更是排山倒海地湧來。快要十點時，他端上來了一份碩大飽滿的豬排，一刀劃下，豬排的切面立體、飽含肉汁，大口咬下所噴出的甜美肉味，立刻撫平了餓死鬼幾乎要暴動的心智，再配上細細熬煮的蘋果醬汁，讓人徹底得到滿足。他說：「很多人都以為來阿根廷就是吃牛肉，其實我們的豬肉很好吃，肉質很乾淨、味道很甜，尤其這是豬頸肉，嚼起來特別脆且爽口。」

　　克里斯多福很溫柔地介紹食材、說明作法，同時也很好奇我們的門多薩時光要如何浪費，我們笑著說：「就是吃肉、喝酒、睡覺。」他說：「這真的是很完美的假期安排，若你們吃太飽或喝太多想走一走，可以到隔壁的酒莊來找我吃午餐。想要玩得特別一點，也可以請漢斯幫你們安排在葡萄園裡的騎馬行程，從馬背上的高度看葡萄園是很不一樣的視野喔！門多薩還有Bike & Wine的半日遊可以選擇，就是和其他酒鬼一起騎著腳踏車、逛酒莊、狂飲葡萄酒。」

步行者的門多薩

　　在酒莊民宿裡的我們就像於此生根的葡萄樹，完全不想離開，認定了此地就是世界的中心後，連要租借單車去逛逛周邊的酒廠都覺得太費力。直到把漢斯所釀的酒款全部喝過一輪，出於對鄰近葡萄園所出產的佳釀好奇，才不情願地「踏」出旅店的大門，開始步行者的門多薩旅程。照著漢斯的指示，出了大門向右轉可以走到MEVI和Vina el Cerno、向左轉則是Familia Di Tommaso。帶著要去雜貨店補貨的心情，出門，只

（上）阿根廷的豬肉味道乾淨甜美。

（下）許多門多薩的酒莊有提供午
餐，甚至有餐酒搭的菜單，價格非常
實惠。

是為了拎幾瓶酒回來。

在梅普（Maipu）走路不是漫步於詩情畫意的小鎮巷弄，而是走在會有貨車、卡車和幾輛小客車經過的產業道路，往往沿著碎石子路要走上半小時才會看到一棟民宅或一個酒莊，沿途的風景單一而純粹——都是葡萄園。相較於多半是以自駕或是單車呼嘯而過的旅人，在這一區散步顯得怪異。但就是因為喜歡葡萄園在排列整齊的隊形中卻有多樣的滋味、喜歡葡萄園依偎在安地斯山脈的安全感，讓我們義無反顧地一直走一直走，而步行的速度正好契合於一切均在慢轉的梅普節奏。

在烈陽下走了半個多小時，抵達外觀現代的MEVI。一進入酒莊，工作人員熱情地帶我們到二樓的露台品酒。我們啜飲著五款酒、搭配剛煎好的阿根廷香腸，鳥瞰眼前無邊無際的葡萄園。Bike & Wine的品酒團也剛到，一群賀爾蒙旺盛的年輕男女聽著老闆解釋著這裡因為海拔759公尺、日夜溫差大，造就葡萄酒有厚韻；這裡的土壤肥沃少蟲害，所以有世界上最好的馬貝克。男孩女孩將馬貝克、席哈、梅洛一杯一杯地喝下肚，雙頰暈出紅光，臉上的線條紛紛軟化了，笑著、鬧著再繼續喝著，最後大家一起舉杯，喊著：「Salute！」繼續下一攤。露台又陷入寂靜，我和友人繼續發著呆，園子裡的鳥鳴變得好清晰，吹著微風、曬著春陽、慢慢地喝著酒，酒廠老闆應該也習慣品酒的旅人在此慵懶的神態，任由我們繼續蹉跎光陰、獨享整片葡萄園。

Saber beber es saber vivir

帶點微醺，離開了MEVI，往標榜傳統自然釀造法的Vina el Cerno走去。一樣走在公路旁，三十分鐘的路程是理想的醒酒時間，一邊回味MEVI馬貝克年輕奔放的味道，一邊任由太陽蒸發身上的酒氣，抵達Vina el Cerno時，又可以耳目清醒地繼續品酒。

（上）MEVI品酒可以鳥瞰整片葡萄園。

（左下）荷蘭人經營的Salentein酒廠非常有氣質，具可看性。（右下）在酒莊民宿Posada Cavieres用餐品酒，有時候會有貓相伴。

酒莊的女主人維若妮卡感性地說明他們對無添加釀酒法的堅持，她帶我們走進有一百一十年歷史的老建築，介紹古老的壓榨機、貯存桶，然後鑽進滿是橡木桶的地窖裡，呼吸光陰沉醉的氣味。維若妮卡說：「在釀酒技術快速發展的門多薩，越來越多酒廠以機器取代人工。但我們家還是覺得釀酒是手工業，是人和土地連結的工藝，所以堅持手工釀製。」

我們在典雅的品酒室裡，品飲不同年分的馬貝克，從年輕的俏皮滋味，一路回溯到2013、2012，再到2009，馬貝克的果香越來越沉穩悠長。維若妮卡說：「除了釀酒的技術，我們要感謝門多薩酒區的氣候穩定，讓每一年的農作品質沒有太大落差。若是在安地斯山另一側的智利酒莊，就要考量海洋氣候帶來的影響。」時間，讓單一酒款有不同的表情，單寧從固執變得柔順，酒質越來越細膩。品完馬貝克，我們又嘗試了不同品項的葡萄酒，在一輪又一輪的品飲中探索這片土地的潛力。喝到酣然時，瞥見牆上寫著：「Saber beber es saber vivir.」（知道怎麼喝就是知道怎麼生活）。

買了氣泡酒、白酒與兩瓶紅酒，兩人一手拿一瓶，慢慢地散步四十分鐘，走回旅店。漢斯看到我們買的貨，大表激賞，他說：「我很鼓勵客人多到小酒莊走走，門多薩的明星酒廠其實你在台灣就喝得到，倒是這些小酒莊，往往是一出門多薩就喝不到，他們那種不合時宜的堅持，反而釀出很有意思的酒。」

我們在星空下喝著Brut*，立體的氣泡就像星星一樣粒粒分明在舌尖跳躍。在阿根廷葡萄酒產業高速發展的門多薩，我們莫名地以最低速的方式旅行，Robert Parker、James Suckling*的大師評鑑都不重要，我們

---

* Brut Nature最不甜，沒有額外添加任何的糖；Extra Brut稍微甜，比Brut Nature甜一些；Brut是最常看到的標示，糖量比前面兩種略高，喝起來Brut還是屬於不甜的氣泡酒。
* Robert Parker、James Suckling，世界上最具影響力的葡萄酒評論家。

只想直覺地以眼耳鼻舌身感受這塊土地。慢慢地、慢慢地喝完今日的補貨，「明天我們再去另一條路的酒莊買酒吧！」友人說。

Mendoza, Argentina

酒徒駐足notes

Posada Cavieres Wine Farm民宿酒莊／caviereswines.com
標榜手工釀製的Vina el Cerno酒莊／elcerno.com.ar
若想到比較遠的Valle de Uco看一些明星酒廠，旅店可代為安排司機和車子，進行一日遊的酒莊巡禮。其中荷蘭人經營的Salentein很具可看性，其酒莊有一個美術館，酒窖的正中心擺放一架鋼琴，有時候還會在酒窖舉辦音樂會，詳情洽www.bodegasalentein.com。

Part 2

酣然，
無以名狀

我是個闖入者，因為酒的緣故，
立刻被接納為家人，在永無止境的杯觥交錯中迷醉。

大麻香氣裡
的迷醉

烏拉圭・蒙特維多
Monteviedo, Uruguay

夜裡天涼如水，啜飲著清爽的特倫托斯竟有漂入星河之感，搭配著
廣播放送的騷莎音樂，整個陽台像是一艘飛行船。樓下的酒吧傳來
雷鬼的節奏，越來越多奔放靈魂的聲響在空氣裡遊蕩，然後是一陣
又一陣的大麻氣味，飛行船乘著煙霧飛行，穿過5月25日大街、轉入
Perez Castellano路、闖進了滿是烤肉香氣的港口市場。葡萄酒一瓶
一瓶地開，坦納、坦納、坦納，恨不得把這輩子的坦納額度用掉。
右前方的教堂鐘樓揚起了午夜的鐘響，噹－噹－噹、噹－噹－噹，
混著大麻氣味的空氣越來越冰涼，但感官越來越敏感，彷彿看到星
河移動、流星飛竄。

從布宜諾斯艾利斯搭著渡輪穿過灰濛濛的拉布拉他河（Río de la Plata），就是烏拉圭首都蒙特維多（Montevideo）。然而，布宜諾斯艾利斯過於精彩，目眩神迷得讓人捨不得離開，我一直到造訪她超過五次後，才萌生搭船去烏拉圭瞧瞧的念頭。動念的原因是因為在台北喝過一款來自烏拉圭的葡萄酒，由坦納（Tannat）品種釀造的紅酒酒體輕盈，和所熟悉的南美酒滋味不盡相同。因為酒的緣故，我脫離了布宜諾斯艾利斯的舒適圈，穿過了疆界到一無所知的國度，沒想到，對岸是理想國。

台灣的珍稀，在地的日常

我和酒友住在蒙特維多舊城區的老旅館Hotel Palacio，原以為只是普通的三星商務飯店，沒想到是老得很有味道的住所。搭著需要拉起鑄鐵門才會移動的老電梯到六樓，最初的訂單是兩張床的雙人房，結果幸運地被分配到有兩間房的大套房，還有串聯兩房的陽台，陽台擺著一桌二椅，坐在陽台就如同在劇院的包廂，可以鳥瞰老城區西班牙殖民時期的街道、窺看往來的行人，甚至能細細觀察對面細修老房子的技工打磨著頂樓外牆柯林斯式（Corinthian）的柱頭。

「去買貨吧！」我說。於是兩人到樓下Sarandi街的酒舖，站在從地板到天花板整面牆都是葡萄酒的酒櫃前，竟有些不知所措。眼前上百支酒，全部都是烏拉圭製造，在這一天以前，從來沒見過鋪天蓋地的烏拉圭酒。在台灣，偶爾喝到一瓶烏拉圭酒，會視為珍稀；在這裡，則為日常的理所當然。店員蘇菲亞（Sophia）說：「趁人在烏拉圭就要多喝烏拉圭酒，出了這個國家妳就不容易喝到了，我們主要出口巴西，其他就是鄰近國家，運去亞洲的既少又貴。」蘇菲亞曾經因為葡萄酒展而在日本、中國推廣過烏拉圭酒，她說：「在亞洲買一瓶的價格，在烏拉圭可

（上）蒙特維多和布宜諾斯艾利斯共
享探戈文化。

（下）Hotel Palacio房間典雅，價格
平實。

以喝三瓶喔！葡萄酒是我們餐桌上不可或缺的一環，尤其坦納，更被視為國家品種。」

「坦納」的原生品種在法國西南部的馬迪朗（Madiran），蘇菲亞表示，19世紀時坦納開始在烏拉圭栽植，皮厚的坦納在太平洋的風吹拂下，生長狀況更優於法國，酒體表現非常亮眼，它的單寧不若在法國那麼重，而且果香清爽。她邊說邊從架上拿下一瓶又一瓶她覺得我們大老遠跑來烏拉圭一定要嘗試的坦納酒款，每一支的酒標都很吸引人，有的是古典優雅的版畫式設計、有的是誘發人立刻開瓶的現代感線條。外頭的陽光正烈，蘇菲亞瞄了一下天光，熱情地說：「這種天氣當然也要來幾支白酒吧！」我們點頭如搗蒜，她如鷹的眼神掃射牆面，俐落地拿了幾瓶阿爾巴利諾（Albariño）*和特倫托斯（Torrontes），驕傲地說：「烏拉圭雖然是南美第二小的國家，但氣候條件和土壤太適合釀酒了，白酒的風味輕盈中又有層次，有的則是乾脆爽朗，妳們一定會喜歡。」當然，我們的購物籃裡還被塞了幾支氣泡酒，在明亮的初夏，Brut源源不絕的氣泡是舌頭上必要的觸感。

陽台開啟的宇宙旅程

兩人各提了兩大袋的酒，再鑽進超市買了麵包、沙拉、乳酪、橄欖。回程的路途經過一間自家烘焙咖啡店，買了半磅的哥倫比亞咖啡豆。雖然兩手掛滿重物，但心情卻很滿足。儘管烏拉圭的物價在南美洲是數一數二的貴，但每每張羅酒食都忘了去盤算烏拉圭究竟比別人貴多少，況且，再怎麼貴也不會比在台灣買一瓶烏拉圭葡萄酒貴。我們興高

---

* 阿爾巴利諾（Albariño），西班牙原生的白葡萄品種。酸度是白葡萄酒的核心，失去酸度的白酒等於失去了靈魂。阿爾巴利諾除酸度外，還散發著桃子、蜜瓜、葡萄柚等果香。

采烈地運送戰利品回旅店，彷彿靠著兩手扛的這些酒食就能幸福到地老天荒。搭著搖搖晃晃的電梯到六樓，從從容容地在陽台的小桌上將火腿、橄欖、乳酪、核果放滿桌面，打開第一支坦納葡萄酒、注入隨身攜帶的酒杯，開始蒙特維多的酒肉時光。

我從沒想過，悠晃陽台可以是一種度假模式。原本計畫中這只是間晚上回來睡覺的旅館，白天我們應該在埃斯特角城（Punta del Este）的沙灘曬太陽，或是去城市裡的博物館增廣見聞；甚至，勤勞點還可搭公車去Salto泡溫泉。烏拉圭的面積17萬6千多平方公里，是南美洲的小國，一個禮拜的時間一定可以走遍主要景點。只是，這個陽台的情境太完美，從早到晚可以明顯地看到光線移動的路徑，從左前方的屋頂，慢慢爬到對面外牆上所雕刻的維納斯胸膛，然後再轉到斜對角教堂的十字架。天黑後，月亮會依約躍出城市上空，呆坐在陽台喝酒，簡直就是目睹宇宙運行之道。

夜裡天涼如水，啜飲著清爽的特倫托斯竟有漂入星河之感，搭配著廣播放送的騷莎（Salsa）音樂，整個陽台像是一艘飛行船。樓下的酒吧傳來雷鬼的節奏，越來越多奔放靈魂的聲響在空氣裡遊蕩，然後是一陣又一陣的大麻氣味，飛行船乘著煙霧飛行，穿過5月25日（25 de Mayo）大街、轉入Perez Castellano路、闖進了滿是烤肉香氣的港口市場（Mercado del Puerto）。葡萄酒一瓶一瓶地開，坦納、坦納、坦納，恨不得把這輩子的坦納額度用掉。

烤肉主廚端上了一塊比臉還大的肋眼、一疊牛腰，放好刀叉後驕傲地說：「妳回去跟妳的阿根廷朋友說，我們烏拉圭的烤肉才是南美之最！」

右前方的教堂鐘樓揚起了午夜的鐘響，噹－噹－噹、噹－噹－噹，混著大麻氣味的空氣越來越冰涼，但感官越來越敏感，彷彿看到星河移動、流星飛竄。「啵」的一聲打開氣泡酒、注入酒杯，上層綿密柔軟的

泡沫是柔軟的床，一旦碰觸就離不開了。杯裡的氣泡一顆顆地往上飄，竄進黑夜的巨大絨布裡，鑲繡成星星。月亮下班了，越來越多星星擠滿天空。星星多到讓我們以為闖進白天。

勇敢做自己

蒙特維多的白晝，一切井井有條。烏拉圭高度的經濟發展與穩定的社會福利，一直有南美洲的瑞士之稱。但我不喜歡一個地方被形容成像瑞士，瑞士是優等生，勢必無聊，順遂人生唯一的企盼就是可以安樂死。烏拉圭則是硬漢，熬過過去軍政府時期的恐怖統治，前總統穆西卡（José Alberto Mujica Cordano）甚至蹲在苦牢裡十四年，走過黑暗幽谷的烏拉圭在21世紀脫胎換骨，成了南美洲政經表現上的明星。

但優等生仍帶著血氣與不拘，作家愛德華多‧加萊亞諾（Eduardo Galeano）以犀利的文字與觀點，寫下《拉丁美洲：被切開的血管》；穆西卡總統住農莊開破車的樸實作風，徹底落實簡單生活、打擊消費主義；還有瘋狂的足球員蘇亞雷斯（Luis Suárez），上場時總捧著馬黛茶、不時和梅西一起分享著屬於南美洲的風味。至於他發狂張口咬人的紀錄，更被列為足球界的危險動物……

在這個多是平原、沒有高山的國度，人們的性格卻反骨嶙峋、勇敢做自己。就算隔壁鄰居是巴西、阿根廷這些文化歷史豐厚的國度，烏拉圭還是可以獨樹一格地走自己的路，如同坦納，可以在阿根廷和智利所打造出的主流南美酒款裡，展露鋒芒，征服葡萄酒迷的味蕾。

菜市場裡的酒醉探戈

蒙特維多的陽台讓我們甘心在此揮霍大把大把的光陰，總是到了夜

晚被樓下的音樂觸動，才打算出去轉轉。我們穿過獨立廣場，一路走逛到豐盛市場（Mercado de la Abundancia）。晚上十一點，菜市場外竟還有人潮，我們跟著人群走進市場，以為有深夜市集。只見菜攤旁破落的音箱放著卡洛斯・葛戴爾*（Carlos Gardel）唱的探戈歌曲，幾個白髮蒼蒼的男人摟著髮色閃著銀光的女人，動作緩慢而優雅地隨著歌曲舞動，時而雙腿交纏、時而轉圈，有點落漆的高跟鞋踩在已有不少裂痕的磁磚地板上依然鏗鏘有力。週末午夜的探戈舞會很自然地在菜攤走道間舉行，這個攤子的烤香腸激起的油煙瀰漫到舞者身後；那個攤子煎牛排吱吱作響的油爆聲和總是破音的喇叭交錯。刀叉餐盤的摩擦聲、酒杯碰撞的酣然聲、廚房煎煮炒炸的縱慾音頻，交織成子夜裡最舒心的旋律。

　　烤肉攤的小販招呼我們坐下，他比手畫腳地跟我們說可以邊喝酒邊看人跳舞，也可以一起加入舞會。點了一瓶坦納和一份烤香腸，我和友人在菜市場廊道邊看著這場超高齡探戈舞會。菜市場的走道上，一位老太太拿起了麥克風，唱起了探戈名曲〈J'oublie〉，圍觀的人情不自禁地隨樂起舞。不同於城裡很受歡迎的探戈酒吧FUN FUN年輕又帶點時髦的氣氛，菜市場裡的探戈不是炫技、不是激烈的慾望流動，而是人生走過了數十載後所淬鍊出的姿態，每個眼神都是含蓄的調情。

　　「每個星期六來的人都很固定，不過一直有新朋友加入，這就像是我們定期的週末聚會。」穿著白西裝，脖子戴一條金項鍊的瑞卡多（Ricardo）說。他今年七十三歲，每週六都會來這裡報到，有時候和妻子一起跳探戈，有時候和朋友共舞。他說：「對我來說，探戈不只是表演，跳探戈不是專業舞者的權利。那些經典的探戈歌曲，吟唱的都是底層人生的心聲；探戈其實是生活的，也是我們生命的一部分，可以一

---

* 　卡洛斯・葛戴爾（Carlos Gardel），知名的探戈歌手，卻在事業顛峰時期因墜機意外逝世，與作詞家Alfredo Le Pera合作多首探戈經典歌曲〈Mi Buenos Aires querido〉、〈El día que me quieras〉、〈Volver〉等。電影《女人香》使用他的名曲〈Por una cabeza〉。

直跳到生命終了。」

　　夜更深了，菜市場裡迴盪著皮亞佐拉（Astor Piazzolla）的〈Adios Nonino〉，跳舞的人占滿狹長的走道。老先生老太太們挺直腰桿相擁舞動，在前進、後退、滑步、轉圈中，踩踏著美好的時光。他們不見得都穿著貼身的舞衣，男士們不管是繫著領帶還是穿著花襯衫，一跳起舞來都好有架勢；女士們不管是穿著洋裝還是牛仔褲，在這黑夜裡發散著神祕的魅力。當音樂停歇時，人人掬起葡萄酒，品飲時光的滋味。

　　我一直以為探戈是阿根廷的，但在這裡，我發現烏拉圭把探戈魂深入骨子裡；我一直以為南美葡萄酒就是阿根廷稱王，但在這裡，我發現烏拉圭樹立獨特的地位。僅僅是過個河探個路，沒想到經歷自由奔放的暢飲、見識忠於自我的生活，在杯光斛影中遇見理想國。

Montevideo, Uruguay

酒徒駐足notes

有自由陽台的旅店Hotel Palacio／hotelpalacio.com.uy
深夜裡的市場探戈／Mercado de la Abundancia，地址：Yaguarón 1290, Montevideo
市區的吃肉天堂／Mercado del Puerto（港口市場），地址：Piedras 237, 11000 Montevideo

迷醉
森巴魂

巴西・薩爾瓦多
Salvador, Brasil

「這裡的音樂不夠帶勁，薩爾瓦多的音樂才正！」、「這裡的海水不夠藍，薩爾瓦多才叫碧海藍天！」、「這裡的黑肉燉飯不夠道地，薩爾瓦多才是巴西味！」我想要愛上里約，但這裡的人都叫我去北邊的古都薩爾瓦多，直稱那裡才是「真巴西」，不管是酒、還是音樂、還是男人或女人……都比里約帶勁。

初聽薩爾瓦多，還以為是我們剛分手的中美洲邦交國；在里約才知道人們口口聲聲說著菜超好吃、酒超好喝、消費超便宜的薩爾瓦多是距離里約1,570公里的巴西第三大城，它曾經是巴西的第一個首都。為了窺看巴西人口中的真巴西，當我被里約的物價嚇到不敢上街消費時，立刻刷了一張機票，台幣兩千元、兩個小時的航程，直奔薩爾瓦多。

從機場花3.6巴西幣搭上公車，慢慢地晃進薩爾瓦多古城區，在車上翻著旅遊書，書上寫著：薩爾瓦多是巴西最黑的地方，黑人人口占八成；如果你在巴西被搶，八成都在薩爾瓦多⋯⋯翻頁，指南繼續寫著如果要吃典型的巴西海鮮燴飯「Moqueca」，薩爾瓦多味道最經典。懷抱著又期待又怕受傷害的心情，抵達了薩爾瓦多古城區，教堂、廣場、石板路，時光從里約在奧運期間砸大錢塑造出的未來感，墜入四百多年前葡萄牙人抵達巴西的樣貌。

塑膠桌布店裡的演場會

我和古蹟嚮導帕德羅約在港口的市場見面，我們邊吃著烤魚邊喝著Skol啤酒，他說：「葡萄牙人當初將非洲奴隸運來這裡，我們的祖先就被關在這個地下室，等著拍賣。」望著地下室不到三指寬的通氣孔，啤酒越喝越苦。而過去充滿怨氣的空間，現在成了觀光客採買巴西紀念品的集散中心，苧麻編織的衣服、俗麗的森巴裝、各種口味的甘蔗酒⋯⋯觀光客討價還價的聲響淹沒了數百年前的血淚。

走出觀光客聚集的市場，葡萄牙式的樓房、20世紀初現代主義的建築在港口周邊交錯著，可以描想過去的風華，帕德羅說：「妳看這是電車軌，我們是巴西很早就有電車的城市，但政經中心轉到了聖保羅、里約、巴西利亞，這裡被拋棄了，電車也廢了。」我們往老城區走，經過外觀雕刻富麗堂皇的聖方濟教堂，爬過一家一家的畫廊，藍色的大海就

薩爾瓦多是巴西的第三大城，為巴西
最早發展的區域，保留典型的巴西傳
統與文化。

在腳下，帕德羅笑著說：「薩爾瓦多的海和沙灘比里約乾淨太多了，妳有空可以搭公車到Praia do Farol da Barra那一區晃晃。」

　　一路往上爬行，穿越一個市場、再走過一條家飾街，滿是窗簾和塑膠桌布的店舖竟然傳出吉他聲和乾淨的嗓音吟唱著卡耶塔諾・費洛索（Caetano Veloso）*的名曲〈O Leãozinho〉（小獅子），費洛索輕盈又舒服的旋律在這濃厚的市井氣息裡，一點都不違和。路人們都因為歌聲而駐足桌布店，磁性的嗓音吸引越來越多人來欣賞市場口的演唱會。歌手繼續唱著費洛索的High歌〈A Luz De Tieta〉，大家興奮得隨之搖擺，並且一起唱著副歌「Eta/Eta, Eta, Eta/É a lua, é o sol é a luz de Tieta/Eta, Eta……」。演唱結束後，桌布店老闆不忘出來跟大家說：「大家如果有需要，也可以挑選一下桌布或窗簾喔！」

　　這是我看過最浪漫的賣東西方式。我跟佩德羅說，我曾經為了聽費洛索的演唱會直奔哥本哈根，他笑著說：「那位老伯伯不只是巴西之光，更是我們巴伊亞州（Bahia）之光，他的歌曲已經融在我們薩爾瓦多人的生活裡，廣場周邊餐廳的駐唱歌手都是唱他的歌，快餐店的電視螢幕不是轉播球賽就是播放他的演唱會實況。聽到他的音樂，就讓人想跳舞，剛剛那首〈A Luz De Tieta〉歌詞裡提到的生活不是足球就是嘉年華，完全是薩爾瓦多的寫照。」費洛索的歌曲總是有嘉年華特有的鼓點襯在歌曲之中，而在薩爾瓦多，這樣的鼓點，無所不在。循著鼓聲的召喚，我們走到Largo do Pelourinho廣場，繽紛的樓房、英文的菜單塞滿眼球，薩爾瓦多最觀光的地方到了。

---

* 　卡耶塔諾・費洛索（Caetano Veloso），巴西音樂國寶，以〈鴿子歌〉（Cucurrucucu Paloma）揚名全球的音樂人，曾當過巴西文化部長。國際導演如王家衛的《春光乍洩》、阿莫多瓦的《悄悄告訴她》等都有選用此曲作為電影配樂。

（左下）Largo do Pelourinho廣場為
薩爾瓦多的地標，麥可‧傑克森曾在
此拍攝MV。

隨興暢飲卡琵莉亞

　　巴西薩爾瓦多的明信片幾乎都是以Largo do Pelourinho廣場為地標，麥可·傑克森〈They Don't Care About Us〉的MV就是在這個廣場和當地的鼓團Olodum合作，結合森巴與雷鬼的Olodum打擊節奏立刻傳到世界各地，燃起森巴魂。廣場藍色的樓房還掛著麥可的海報，當時麥可就是在這棟樓的窗口跟大家揮手。現在，遊客也可以如法炮製，買張門票到二樓揮手拍照。至於Olodum的鼓點節奏在老城區無所不在，在大大小小的廣場常可見到鼓隊練鼓，鼓手超High的把大鼓往上拋、再穩穩接住，然後更奔放地敲擊，忽遠忽近的鼓聲宛如老城區的脈搏聲響。

　　已被列為世界遺產的老城區保留了許多17、18世紀葡萄牙殖民時期的建築，既然是老區，要有大規模的觀光飯店比較困難，最有代表性的旅店是把修道院改成旅館的Pestana Convento do Carmo Bahia，價格昂貴。我選擇在市政廳附近的咖啡店樓上Bahia Café Hotel落腳，此處亦是老建築重修的旅店，只有二十幾間房，我房間的窗口正對教堂鐘樓，從窗邊望出去即是熱鬧的Praça da Sé廣場。旅店還提供各式旅遊選擇，包括古蹟導覽、離島觀光、傳統宗教儀式觀禮，以及按摩服務。

　　巴西原始的奇風異俗固然是薩爾瓦多的觀光賣點之一，但我想探索的卻是櫃檯旁有一個約兩公尺長的吧檯，吧檯點著黯淡的燭光，在燭光搖曳間盧卡斯正在調卡琵莉亞（Caipirinha），我循著那道光在吧檯下錨。他先給我一杯用甘蔗酒（Cachaça）和檸檬汁調和的巴西經典調酒卡琵莉亞，他說：「薩爾瓦多人口腔裡總是發散甘蔗酒的味道，妳要趕快染上味道才能跟大家交流。」盧卡斯來自墨西哥，因為喜歡巴西的戰舞（Capoeira），而搬到這裡習舞，他笑著說：「很奇怪，墨西哥的節奏我沒什麼勁兒，可是一聽到巴西戰舞的鼓聲，我就整個人就High起來。這裡彷彿是我的靈魂故鄉。」練舞之餘，他就在這間旅店調酒，開

（上）薩爾瓦多的派對一定要有酒精
在手。

（右上）洋溢檸檬清香的卡琵莉亞是
巴西的國民飲料。

（右下）薩爾瓦多的沙灘常可看到藝
術家進行沙雕創作。

發各種靈魂的滋味。

　　他將手邊的百香果切開，以百香果取代檸檬汁，加入了甘蔗酒，調了一杯綻放熱帶風情的百香果版卡琵莉亞給我，他說：「薩爾瓦多的水果太豐富了，酸甜感強烈的水果很適合和有點粗糙風味的甘蔗酒搭配，加入冰塊後就是讓人爽快的滋味。」百香果口味的甘蔗調酒讓人驚豔，尤其在長年盛夏的薩爾瓦多，它的口感比檸檬更澎湃。盧卡斯說：「這裡的人喝卡琵莉亞是很隨意的，一個紙杯倒入冰塊、酒、檸檬，就是一杯，許多人從早喝到晚，尤其過了中午以後，街頭巷尾到處是音樂，每個人都會情不自禁邊喝卡琵莉亞邊跳舞。」

酒館裡的足球賽

　　站在小旅店的陽台，可以看到Praça da Sé廣場的小販賣著水果，穿著傳統服飾白色蓬蓬裙的婦女們吆喝遊客一起拍照，然後討10元巴西幣，當然也有人價格談不攏而惡言相向。廣場的另一角則是一群男子在練巴西戰舞，兩名男子對打，旁觀的則擊鼓、彈撥特殊樂器貝林報（Berimbau）並跟著和聲。他們的表演吸引遊客圍觀，甚至有些遊客被拉進去體驗一起比畫。

　　旅館隔壁的酒吧O Cravinho甫開店，許多人往那個門走去。時值四年一度的歐洲國家盃足球賽，酒吧的電視轉播像是魔笛，把人流吸了過去，我也無法抵擋這股勢力。里約的朋友曾說：「巴西人的生活就是以足球為中心，時間安排以足球賽事為首位，只要有賽事，其他事務必須要排開。」面對國際大賽已比到最後階段，荒廢工作課業、流連轉播，是具正當性的，當然，觀賽少不了酒的助興或助威。O Cravinho以自釀各式各樣的甘蔗酒聞名，店家以香草植物如茴香、迷迭香等材料放入甘蔗酒裡浸泡，釀出多樣的甘蔗酒滋味；最特別的是，他們還會循著古

法將整隻螃蟹置入甘蔗酒中，醞釀獨特風味。在O Cravinho的酒單上，羅列著各式各樣的甘蔗酒口味，許多人就著吧檯，點著不同滋味來開眼界，每杯酒大概20ml，往往喝著喝著就排出一列空杯。

螃蟹泡酒給我壯陽酒的聯想，不想喝得太腥，我選了幾種花草口味的甘蔗酒品嚐，本想慢慢啜飲，但酒吧實在太擁擠了，電視正轉播著德國對上義大利的戰役，緊張的情緒容不得人慢慢喝，膠著的情勢讓人藉著一杯又一杯的甘蔗酒穩定情緒，只知道嘴裡是厚重而柔和的甜，至於是哪一種香草植物的作用，其實搞不太清楚。全酒吧的人目光都望向螢幕，在這樣的時刻，沒有人想要跟我討論酒好不好喝。

下半場，德國隊先進一球，整個酒吧一片哀戚。過了十分鐘後，義大利的萊昂納多・博努奇（Leonardo Bonucci）踢進一球，全場振奮，紛紛舉杯慶祝。我身邊的巴西人立刻加點兩杯啤酒，一杯贈我，他說：「敬義大利！」九十分鐘球賽結束，比數1：1，進入延長賽。身邊的巴西人，又點了啤酒，連我的份也一起點。遙遠的歐洲國家盃其實跟巴西一點關係都沒有，但是足球就是全民精神的寄託，除了南美聯賽，當地人對於歐洲聯賽也非常著迷，四年一度的歐洲國家盃更是重點賽事，儘管南美天王球星梅西、內馬爾、蘇亞雷斯不在畫面上，但歐洲國腳的魅力還是牽動巴西人的足球魂。

連續贈我兩杯酒的巴西人相當寡言，但是看球的表情非常豐富，當看到義大利門將布馮（Buffon）神妙撲救的身手時，他笑得特別燦爛，一定要跟我乾杯。經歷了三十分鐘的延長賽，比數依然是1：1，比賽只好進行到PK。酒吧的情緒緊張到極點，許多人跟酒保加點甘蔗酒，只要看到義大利踢進一球，他們就立刻一口飲盡一杯，義大利第一球進、第二球沒進、第三球進、第四球沒進……隨著賽局難分難捨，桌上的酒杯越來越多，一直PK到第九回合，德國以6：5贏了義大利。大家狂嘆一口氣，把酒錢放在吧檯，悻悻然地離場。

O Cravinho有豐富的甘蔗酒可以選擇，當有足球賽事轉播時，總是擠滿來看球的民眾。

午夜燃燒的森巴魂

　　義大利隊得到薩爾瓦多居民絕大多數的支持，輸球的夜晚讓空氣中張揚的情緒稍微沉澱。但在這個城市是沒有靜默或是哀愁的選擇，外頭的森巴音樂大作，石板路上出現越來越多精心打扮的男男女女，不少女孩腳踩高跟鞋，身穿背部鏤空前面爆乳的森巴服，亮片在胸口閃爍著。盧卡斯說：「妳不見得一定要什麼節來薩爾瓦多，這是個派對之城，幾乎夜夜有舞會。」高跟鞋之外，更多更多的人是跟我一樣穿著夾腳拖。男女老少就算衣服再怎麼普通，都大方展示身體的線條。廣場舞台的音樂響起，歌手放縱地唱著、鼓手發狂地打擊，台下又是扭動又是撫摸又是摩擦又是雙眼放電，修道院、教堂圍起的廣場是夜已成性感的舞池。

　　我曾造訪過里約富麗堂皇的森巴夜總會，那兒的森巴女郎舞藝高超、身材沒有一毫米的贅肉，表演完美得就像國標舞總決賽；精彩歸精彩，但就是個秀。但在薩爾瓦多的廣場上，吊嘎、短褲就是舞服，音樂催化肢體、瓦解人與人之間的距離，男男女女融化成一片。

　　夜越深音樂越強，但空氣裡的汗水與香水味道濃烈，誰搭誰的肩、誰摟誰的腰已經分不清楚，廣場邊流動酒攤調製著一杯又一杯的卡琵莉亞，夾雜著鄰攤烤雞肉串、牛肉片所燃起的濃煙，大家邊喝邊跳邊吃就這樣舞到天亮。我不曉得自己是怎麼走回旅店的，睜開眼，嗓子已經沒有聲音。

　　吃早餐的時候，日班經理興奮地跟我說：「今天是獨立紀念日，從早到晚處處是遊行跟舞會。」我說：「巴西獨立紀念日不是9月7日嗎？」他笑著說：「那是巴西脫離葡萄牙獨立的日子，但我們巴伊亞洲和葡萄牙政權難分難捨，一直到1832年7月2日才從葡萄牙獨立，比巴西晚一年。」所以薩爾瓦多的國家級慶典硬是比全巴西多一場，還有哪個地方可以比這裡更巴西、更極致、更瘋狂。不到早上十點，外頭的鼓聲

已經咚咚咚咚響，當地高中生組成的樂隊、儀隊、旗隊紛紛上街，青春
姣好的軀體在烈陽下燦爛燃燒，流動的酒攤、肉攤再度出場，廣場上的
樂團又開始對軋較勁，在永無止境的派對裡，我已經變成浸泡在甘蔗酒
裡的曬紅螃蟹。

Salvador, Brasil

酒徒駐足notes

航班╱從台灣出發可搭乘阿聯酋航空飛往巴西里約（須於杜拜轉機）或聖保羅，再轉搭國內線飛機至薩爾瓦多。購票與查詢可上網 www.emirates.com
簽證╱於巴西商務辦事處辦理簽證，台北市德行西路45號2樓，02-28357388
Bahia café Hotel╱www.bahiacafehotel.com
戰舞與森巴的專業表演Teatro Miguel Santana╱地址：Rua Gregório de Mattos 49 Pelourinho，+55 (71) 3322-1962

酒單cocktail recipes

巴西的熱帶滋味
百香果卡琵莉亞 Caipirinha

材料：巴西甘蔗酒（Cachaca，可選擇51甘蔗酒或是Leblon）30ml、砂糖2大匙、半顆檸檬切小塊、百香果1顆、碎冰
作法：
將檸檬放入杯中，加入砂糖、百香果肉搗勻
再加入甘蔗酒、碎冰，充分攪拌即可
也可以用雪克杯搖一分鐘，但薩爾瓦多人的調酒多半走簡單風

智利酒徒的
通關密語
「Piscola！」

智利・聖地牙哥×奇洛埃島
Santiago×Chiloe, Chile

一直以為Pisco Sour是智利國民飲料，但在造訪智利多回後，最常入喉的飲品是Piscola！「Pisco Sour是觀光客喝的啦！也只有在嗆祕魯人的時候，我們才會把Pisco Sour拿出來說嘴。基本上，我們都喝Piscola。」聖地牙哥的街頭嚮導法蘭柯說。

走進智利的荒謬劇

法蘭柯（Franco）是我前年去智利時，參加免費步行導覽（Free walking tour）*認識的嚮導，他一針見血的解說風格，很快地跟大家打成一片。跟著他走逛首都聖地牙哥（Santiago），簡直是見識一場又一場的荒謬劇。在他帶路下，我們走進了這個城市的綠地、欣賞一堆街頭雕塑，其中許多作品是百年前各國元首慶祝智利獨立建國一百年（1910年）所贈的禮物，像是德國人送的華麗噴泉、還有阿根廷所贈的Boys Playing塑像。法蘭柯意有所指地說：「阿根廷這個作品藉由四個男孩玩足球代表祕魯、玻利維亞、智利、阿根廷和樂融融的關係，不過阿根廷人的表達總是有隱喻的，就我們看來就是四個國家互扯後腿的窘境。」大夥兒哄堂大笑，接著法蘭柯正經地說：「不過老天爺很愛跟智利人開玩笑。慶祝建國百年的前一個禮拜，總統過世了，四天後，原本繼任總統的副總統也過世了。依約要參加建國百年大典的各國領袖從祝壽的喜宴變成去喪禮弔唁，這些禮物都像是嘲諷。」

荒謬依然繼續，當智利準備興高采烈地在2010年慶祝建國兩百年時，同年的2月27日爆發規模達8.8的大地震，救災成了當年唯一的主題。法蘭柯無奈地說：「我們好像不被允許開派對，想要慶祝什麼，就會來個大災難。弔詭的是，當很大的災難來的時候，其實國際社會常常是漠視或是根本不知道，比方我們的911事件，如果不是我告訴你，你一定以為911是美國專屬的紀念日。」

諷刺的是，智利的911據信是美國一手策劃。1973的9月11日，智利

---

* Free Walking Tour的時間長度從1.5小時到3小時不等，負責導覽的團隊都對他們的城市抱著滿腔熱情，希望把這座城市最值得看的地方介紹來訪的旅客。遊客只需在導覽結束後給導覽員小費即可。在搜尋引擎上輸入「free walking tour+城市名稱」就會找到相關網頁。

（上）阿根廷送給智利的一百歲生日禮物Boys Playing雕像。

（下）聖地牙哥是開放自由的南美都會。

軍人皮諾切特（Augusto Pinochet）在美國CIA的支持下發動政變，推翻當時的民選總統阿言德（Salvador Allende），軍方轟炸總統府，阿言德於內自殺身亡，接著智利陷入長達十七年的軍事獨裁恐怖統治。根據統計，那場1973年的政變，總共有598人死亡、274人失蹤，19,083名政治犯遭受酷刑。

法蘭柯激動地在總統府前訴說這段歷史，越來越多人聚過來聽他闡述智利版的911。法蘭柯說：「這個世界很扭曲，發生在美國的事情就是國際頭條新聞。在南美洲發生的慘劇往往總歸一句魔幻寫實，沒人認真對待。」看不慣自己國家的歷史莫名地消失在世界運轉的時間軸，法蘭柯放棄原來的工作，加入聖地牙哥Free walking tour的團隊，在這個每天都舉辦的免費城市導覽旅程裡，他帶著旅人認識智利的黑歷史。他說：「如果我們自己都不說，別人怎麼會知道呢？請記得智利的911。」

歷史過於複雜，喝酒當然要簡單

歷史過於沉重，需要酒精撫慰。我們走到了詩人聶魯達的故居，熱愛美酒與美女的聶魯達把房子營造得舒適而奔放，尤其那饒富情趣的居家酒吧讓人豔羨。語音導覽機說著聶魯達怎麼享受生活、多麼熱愛朋友，對比那危機重重的年代，他的愛與熱情，有如煙花，詩句中的酒言酒語，是用力活過的痕跡。法蘭柯指出，聶魯達是在智利911過後的兩週過世，當911發生時，他家遭到破壞，所以現在有一個說法是聶魯達可能死於他殺。四十多年過去了，目前開放給旅人參觀的居所其實已非他生前的陳設，但當我走進那棟房子、站在吧檯前，看著一個個的酒杯，想起他的詩作裡總是充滿對葡萄酒的謳歌，不禁想舉杯致意。不過，竟想不出那些濃得化不開的情詩，反而憶起〈逃亡者〉裡的苦澀句

聶魯達是智利知名的詩人，熱愛生
活、熱愛酒。

子：祖國，你像一架苦味的葡萄酒壓榨機，上面沾染着太多的痛苦。

彼時，周邊的法政大學正在罷課，路上不時會看到示威遊行，與各式各樣的抗議標語，法蘭柯將這一切視為稀鬆平常，沿街介紹可以造訪的酒吧、超值又有趣的酒舖，他說：「再怎麼抗議、再怎麼不爽，人們都需要喝一杯，在智利開酒館是穩賺的，不同政治理念的人都需要酒精。」過了Mapocho河，經過已經罷課一個月的學校，桌椅塞滿了校門口不讓人進出，學生強硬的態度徹底癱瘓學校運作，但周邊的酒吧依然熱鬧，法蘭柯說：「想要平價的喝一杯，就是這裡了，我的朋友們很愛來這裡聊天喝酒。」

我說：「喝Pisco Sour嗎？」

他笑著說：「我們又不是觀光客，喝什麼Pisco Sour，當然是喝Piscola。把智利的Pisco加上可樂，就很好喝了，誰想麻煩地去打蛋白啊！在智利喝酒就是力求簡單，歷史已經夠複雜了！」

我一直以為用智利慕斯卡葡萄（moscatel）蒸餾出的Pisco加上檸檬、冰塊與糖充分攪拌後，再於杯緣鋪上打發的蛋白、滴一兩滴苦精所調出酸酸甜甜的Pisco Sour，是經典的智利微醺滋味。第一次的智利之旅，主要是走訪百內國家公園一帶，在那個熱門的觀光區裡，Pisco Sour幾乎是每個旅人在酒吧裡必點的飲料，旅人之間甚至還比較著是智利的Pisco Sour好喝還是祕魯的Pisco Sour好喝？

這兩個老是起爭執的國家，為了Pisco Sour究竟算誰的國酒吵個不停，祕魯甚至把2月的第一個星期六定為Pisco Sour Day。不過法蘭柯說得沒錯，在酒吧裡喝Pisco Sour的都是觀光客，他說：「我們自己人如果要喝Pisco Sour，就直接到超市買一公升調好鋁箔包產品，回家加冰塊直接喝，誰有那個閒工夫把蛋白打成泡沫，還是Piscola直接。」

酒精是智利人生活中不可或缺的一部
分。

繽紛過癮的滋味

我們走進聖地牙哥大學旁邊的一間酒吧，點了Piscola，只見西裝筆挺的老侍者在裝滿冰塊的長杯裡倒1/4杯的Pisco，然後再加入可樂、放入檸檬片，一切就是那麼毫無懸念地簡單。略帶懷疑地喝下第一口後，我和友人不約而同的相視而笑：「這就是很過癮的味道！」不同於以蘭姆酒加可樂的自由古巴多少有些蘭姆酒的嗆味，Piscola是非常和諧開懷的調酒，沒有自由世界與共產世界間誰要解放誰的拉扯，就是單純開心的滋味。尤其Pisco的圓潤感在可樂的氣泡帶領下，滑進喉頭，增添幽默的喜感。

隔壁桌的兩位大叔看我們喝Piscola笑得開懷，邀請我們併桌同樂，一起分享他們點的冷肉拼盤，麥克說：「醃肉冷盤是智利酒吧的下酒菜，很搭Piscola。」麥克和馬蒂兩人是常往返歐洲和聖地牙哥的生意人，每每回到聖地牙哥，一定要來喝杯Piscola。麥克說：「在很多酒吧都不會把Piscola放在酒單上，這是要用嘴巴點的飲料，只有智利人才懂。它很簡單，它的爽快也很直接。我們不愛複雜！」

暢行無阻的通關密語

Piscola成了智利旅程中的通關密語，只要在酒吧喊出Piscola，都會得到店家那抹「你很了」的微笑。由於他的調法實在是太簡單，人人都會調；只要走進超市，我都會買一瓶Pisco和一瓶可樂當作隨身的微醺良伴，甚至旅行至外島奇洛埃島（Chiloe），也帶著完美的開懷組合。當我在Palafitos Emilio y Ester民宿落腳後，立刻在冰箱放入Pisco和可樂，主人亨利滿意地說：「妳果然很懂智利，我有冰塊和檸檬，好好享受有Piscola的島嶼度假吧！」

（上）Pisco Sour是觀光客來智利必點的飲品。

亨利的水上屋（Palafitos）有一個面對大海的露台，每天傍晚我們都會坐在露台、看著大海、喝著Piscola，和天光道別。即使假期的後半段成天陰雨綿綿，我們也會在細雨中飲著Piscola，看著雨滴打在水面上畫起一圈又一圈的漣漪，可以看著大大小小圈圈彼此交纏又散去看到天黑。亨利邊喝著Piscola邊告訴我在這裡住上一週可以怎麼過日子、哪一家餐廳的海鮮非常好吃、國家公園的健行路線要怎麼安排才恰當、可以搭幾號公車到Achao看經典的木造教堂。Piscola拉近我們的距離，也奇妙地化解語言的疆界，在暢飲兩杯之後，他所說的西班牙文，我竟聽得懂。正在研究佛經的他還跟我討論起佛法、探究內在的世界。在大雨傾盆的夜裡，喝著Piscola、聽著西班牙語的《金剛經》解說，外頭的雨絲彷彿在海面上鋪出一條日光大道。

　　亨利說：「Piscola很簡單，是很快可以得到安慰的調酒，對我來說，喝一杯就像幫一天畫上句點一樣，非常滿足。」不同於島上許多青年想到大城市發展賺大錢，亨利醉心於單純的生活，於是守著祖父母留給他的百年老屋、在距離聖地牙哥1,000公里的奇洛埃島上過自己想要的人生。他將老房子整理成有三個房間的民宿，熱情地跟來自世界各地的旅人分享被列為世界遺產的水上屋生活情境。木房子的牆上貼了幾張裝幀典雅的家族照片，待我細看，他提起過去父親怎麼帶他划著獨木舟出海捕魚，說著說著他便把木地板掀開一塊，帶我爬下木梯，走到濱海的平台，平台上放了幾艘獨木舟，若我願意，隨時都可以從房子出發划向大海。

　　離開奇洛埃島後，我再次翻讀達爾文的《小獵犬號環球航行記》，除了閱讀奇洛埃的地景描述，文中不只提到一次「島上居民謙虛、溫和並愛勞動」，還寫到當他們在首府卡斯特羅（Castro）搭帳棚時，居民跑到海灘圍觀，達爾文寫道：「他們非常客氣，給我們提供一座房屋，甚至還有人送給我們一桶蘋果酒。」這個遠方島嶼的熱情待客之道，在

水上屋是奇洛埃島典型的建築形式，
已被列為世界遺產。

過了快兩百年之後，依然持續著，而我品味到的是Piscola的滋味。

擁抱裝瓶的陽光

熱愛葡萄酒的我，在最近一趟智利的旅程把飲酒的額度都給了Piscola，儘管我去了聖地牙哥谷地周邊的酒莊，造訪了近年很熱門的白酒產區Casa Blanca，也喝到品質和口感超越許多法國名牌的葡萄酒、認識幾位追求完美、技術超群的釀酒人，但是不知道為什麼，再多的葡萄酒都無法像Piscola可以輕易地和在地人打開話匣子。當我們喝著葡萄酒時，大家相敬如賓，禮貌著說著天氣與讚嘆智利酒無限的潛力；但當喝著Piscola時，你家就是我家，下一分鐘就是要結伴吃喝。釀酒師卡洛琳娜（Carolina）說：「比起Pisco，葡萄酒是後來才在智利風行，畢竟葡萄酒文化是過去殖民者留下來的產物。因為日益盛行，吸引越來越多人投入這個產業，這一代的年輕人漸漸把葡萄酒變成自己基因的一部分。但對我的父輩來說，基因裡還是濃烈的Pisco味道。至於Piscola就是生活一部分，因為已經內化了，反而無須強調。」

2018年底，我從智利的最南方巴塔哥尼亞地區經歷了好幾天險惡的天氣、走過荒涼而破碎的地貌，再搭船北上抵達智利湖區。還記得在Chacabuco港口等待Navimag啟程去蒙特港（Puerto Montt）時，我在小鎮裡唯一一家雜貨店的貨架上買了一瓶Pisco，想以它陪伴我26個小時的航行。店家很順手的在我袋子裡放了兩瓶可樂，祝福我旅途順利。當船拔錨，下起滂沱大雨，雲沉重地壓在眼前，見不到船公司廣告文宣上所描述的令人屏息的峽灣風景。

我站在甲板看著船在大浪中前行，手中拎著鋼杯、裝著自己調的Piscola。永遠不懂得疲憊的風一直吹來，船劇烈地擺盪，那一瞬間，我明白為何聶魯達會稱Pisco為「裝瓶的陽光」。在這個國土南北長度超過

4,000公里，涵蓋沙漠、高原、雪地、湖泊、海洋的國度，不管面臨什麼天氣、遭遇多險惡的氣候，打開一瓶Pisco，那香氣與醇厚的滋味就像陽光灑下、讓人無所畏懼。而當兌上可樂後，杯中即開起忘記憂愁的派對，就算置身世界盡頭，一切耀眼燦爛。

Chiloé

酒單cocktail recipes

調一杯忘憂的Piscola
材料：Pisco 50ml、可樂1瓶、冰塊數顆、檸檬1片
作法：
將冰塊注入長杯中
倒入Pisco
加入可樂，可樂的建議分量為Pisco的兩倍
放入檸檬，充分攪拌即可

酒水澆灌的
墨西哥亡靈節

墨西哥・瓦哈卡

Oaxaca, Mexico

去墨西哥以前，只知道酒途關鍵字是Tequila；到了墨西哥後，才知道通往靈魂的密碼是Mezcal。

我輕啜一口，煙燻味縈繞口腔、接著是厚重有如粗大手掌般溫暖的酒體滑過，熱熱的顫動直抵心房、最後炸成繽紛花火，那絢麗的悸動是墨西哥旅程中的神采，尤其是在亡靈節時分暢飲，更有喝到世界末日的酣然。

「塔基拉（Tequila）和梅茲卡爾（Mezcal）都是龍舌蘭（agave）蒸餾製成，但就和法國香檳一樣，只有特定產區的和特定品種的龍舌蘭（azul agave）才能冠上『Tequila』的名號，其他以龍舌蘭蒸餾的酒就稱為『Mezcal』。」瓦哈卡（Oaxaca）情人酒館的酒保胡立安說，他繼續說著：「沒有嚴格規範、又能反映每個地方土地特色的梅茲卡爾才是墨西哥的生命之水！」

　　他將梅茲卡爾倒入約五公分高的厚玻璃酒杯，我輕啜一口，煙燻味縈繞口腔、接著是厚重有如粗大手掌般溫暖的酒體滑過，熱熱的顫動直抵心房、最後炸成繽紛花火，那絢麗的悸動是墨西哥旅程中的神采，尤其是在亡靈節（Dia de los Muertos）時分暢飲，更有喝到世界末日的酣然。

超越疆界的派對

　　我是10月下旬抵達墨西哥的，從墨西哥城出發，沿途的大城小鎮開始進行亡靈日的布置，每個商家和民宅都在入口處擺了一個祭壇，祭壇上貼滿祖先的照片，有如豎立起一棵家族生命之樹；照片前的長桌則獻上糕點、飲料，梅茲卡爾就像通往異世界的鑰匙一般，恭敬地供在祭壇上、邀請祖先品飲。不同於在台灣清明節標榜的慎終追遠肅穆感，墨西哥亡靈日是和亡靈重逢的派對，從10月下旬起，街頭就是陰陽兩界同歡的氣氛，處處可見骷髏頭或白骨人的裝飾，有些廣場還會看到以白骨人跳探戈、踢足球、遛狗、開車所營造的「裝置藝術」。友人說：「我們把這些裝飾做得很花俏，就是要吸引逝去的親友發現這裡，找到回家的路、跟我們團圓。」

　　只是那年（2014）9月底發生43個師範學校學生離奇失蹤的事件，案子懸而未決、加上政府一直推託責任，激起民眾的不滿。旅途中，伴

（上）梅茲卡爾是墨西哥的靈魂之
水。

（下）亡靈日前半個月，可在墨西哥
街頭看到豐富的裝置藝術。

隨著亡靈節華麗裝飾的聲響是街頭的抗議和吶喊聲，43個學生的大頭照以A4紙張列印到處張貼，大家都希望孩子們能在11月1日亡靈日前回到家，畢竟那一天是團圓的日子。

酣然濃豔的招魂遊行

最初我是被墨西哥的馬雅文明所吸引，想在旅程中鉅細靡遺地造訪一個又一個的金字塔，解開上帝指紋的祕密。但亡靈日的派對氣氛太濃烈，連最受歡迎的芙烈達・卡蘿（Frida Kahlo）的宅院都擺了頗富情趣的骷髏人飲酒同歡的裝飾，在這段時間不好好喝到天荒地老，似乎錯過了這個國家的靈魂密碼。於是我將旅程轉往瓦哈卡（Oaxaca），想在這個饒富文化風情的城鎮感受與亡靈暢飲的極樂。

在《主廚的餐桌》（Chef's Table）系列影集中，墨西哥大廚Enrique Olvera將瓦哈卡視為墨西哥風味的原鄉，它保存了傳統文化、飲食風格，多元又深厚的面向如同此地最享盛名的料理「混醬」（mole），胡立安說得貼切：「混醬看起來一坨一坨的，不甚美麗，但它可是用各式各樣的辣椒、香料、巧克力、時蔬搗碎再熬煮，融合成和諧又有個性的滋味。以它來澆淋雞肉、豬排、玉米片，一定會讓你眼睛一亮，而且每戶人家都有自己的配方，它的精彩度就跟私釀的梅茲卡爾一樣，讓人魂牽夢縈。」

抵達當天的傍晚，民宿主人吆喝著大家趕緊上妝，她搬出五顏六色的彩妝盒，先把大家的臉打上厚厚一層白粉底，然後就以極其誇張的手法將眼睛畫大、嘴唇畫厚、腮紅畫豔，每上色一次，就有另一個自己從鏡子裡跳出來，化妝如同召喚深藏在身軀裡的陌生靈魂。修飾好妝容、穿上瓦哈卡地區的花花裙，跟著人群往San Domingo教堂的廣場集結，在黑夜降臨時，一個個濃妝豔抹、身穿華服的身影，在吉他、小喇叭、

混醬是瓦哈卡最具特色的餐飲風格。

小提琴的伴奏下，舞動著身體，彷彿夜裡的精靈。

「你可以說這幾個晚上是瓦哈卡的化妝舞會，但這也是我們對亡者參與派對的邀請，希望他們跟我們一起唱歌、一起跳舞。」在地的梅茲卡爾釀造小農卡蜜羅說。坐在San Domingo的小廣場看著地方媽媽、鄉野牛仔、耍萌的幼童、愛犬愛貓同好會的團員……，浩浩蕩蕩一團接著一團在老城區的街道上扭腰擺臀、大聲歡唱，節慶的熱力讓人跟著一起搖擺。卡蜜羅則熱心地發給身旁老老少少小小的竹杯，海派地倒入自釀的梅茲卡爾與大家分享。就像永不停歇的音樂，我們的竹杯都沒有空過。卡蜜羅的酒倒盡後，還有馬力歐扛來的梅茲卡爾跟大家分享，之後是費南多家的佳釀，在地的梅茲卡爾酒商就像供應礦泉水般，源源不絕地添滿我們的酒杯。大夥兒品著酒、看著遊行隊伍的表演、欣賞飛竄的煙花以及市政府在老教堂外觀投射的燈光秀。當然，骷髏頭與白骨人的造型是這場大型派對的dresscode，這些看起來屬於陰間的物種竟不會令人懼怕，在音樂、花瓣、酒香與煙花中，人們早已跨越陰陽界，一起相擁、共舞。

探索靈魂的滋味

卡蜜羅約我翌日早上去他的酒廠逛逛，他認為最能代表墨西哥的味道就是梅茲卡爾和混醬，而這兩種東西都是瓦哈卡的特產。他驕傲地說：「我相信所有的墨西哥人都會以自己家鄉產的梅茲卡爾為傲，那是土地的味道。」他的酒廠離市區約四十五分鐘的車程，在遼闊平坦的紅土上，一株一株龍舌蘭像是荒涼大地中的舞者，以扭動的姿態呈現墨西哥人性格裡的張狂。

在農場旁的空地，堆疊了許多已經去掉龍舌蘭葉子的鱗根，所有佳釀就是從這一顆顆像是鳳梨頭的鱗根提煉糖漿再發酵蒸餾而來。望著被

不同於在台灣清明節標榜的慎終追遠
肅穆感，墨西哥亡靈日是和亡靈重逢
的派對，從10月下旬起，處處可見骷
髏頭或白骨人的裝飾。

削下來滿是細刺的龍舌蘭葉子，不禁納悶，過去的墨西哥人對酒精的渴求大到什麼樣的境界，願意剝下如利刃般的龍舌蘭葉子，只為取得鱗根、熬出糖蜜、發酵、蒸餾成有酒精厚度的靈魂之飲。一想到原料的採集過程，幾乎瞥見血跡斑斑。卡蜜羅忽略訴說這些陽光下的粗活和必然的傷痛，僅輕鬆地說：「經過第一道蒸餾手續後，就是大家愛喝的梅茲卡爾。初次蒸餾的梅茲卡爾帶有煙燻味，許多人就喜歡這種嗆勁。有人說梅茲卡爾是比塔基拉粗糙的龍舌蘭，其實是不正確的，現在不少梅茲卡爾酒農精益求精，也是做到和塔基拉一樣的二次蒸餾，味道純淨又有獨到特色，味覺表現比塔基拉豐富。」

卡蜜羅帶我到他的酒窖品飲，酒窖裡有幾個橡木桶，裡頭裝盛他精心釀造的梅茲卡爾，他說：「梅茲卡爾的香氣和橡木桶很搭，喜歡渾厚口感的人，就會愛上過桶的梅茲卡爾。」我們依序喝著一次蒸餾、二次蒸餾、過桶以及成年的梅茲卡爾，每一杯的個性都有很大的差異，他們就像墨西哥的肥皂劇般，很直白地要吐露出自己的魅力與特質，那種直率的熱情，令人迅速墜入情網。甚至會堅定地在心中立下誓言：這一路我只喝梅茲卡爾，我要看看它可以好喝到什麼境界！

如同墨西哥的肥皂劇，真愛一定會面臨挑戰。就在我把梅茲卡爾視為旅途唯一伴侶時，卡蜜羅端出他的珍藏品項，緩緩注入我的酒杯。當琥珀色的酒水汩汩流入小杯子時，我發現酒瓶底下有數十隻蟲蛹，不禁面露猶豫。卡蜜羅說：「梅茲卡爾不只是靈魂之水，他也是我們保健良方，尤其放幾隻蟲下去，不只增加風味還平添營養。」我小心翼翼地泯了一口，溫潤的酒香縈繞喉頭，在和諧的滋味裡有淡淡的焦香。我閉著眼睛（實在不想看到酒瓶裡的蟲），又順勢喝了一大口，梅茲卡爾像是暖流竄入全身，讓人無力招架的臣服。癱坐在卡蜜羅的院子，曬著太陽，啜飲著洋溢金光的成年梅茲卡爾，卡蜜羅邊喝酒邊翻著報紙，無奈的說：「不曉得這43個學生下落何方，希望能在亡靈節前找到他們，

（上）梅茲卡爾是從像鳳梨頭的龍舌
蘭麟根提煉、發酵，再蒸餾製成。

我們的政府真的太誇張了，總是有那麼多光怪陸離的事情在墨西哥發生！」最後幾口梅茲卡爾，有著清晰的苦味。

風和日麗的墳場狂歡

亡靈節前夕，我抵達了恰帕斯州（Chiapas）的小鎮聖克里斯托瓦爾-德拉斯卡薩斯（San Cristobal de las Casas），這個省以叢林裡的蒙面游擊隊聞名，該組織在1994年發動農村武裝革命以捍衛自己的土地文化，最後自成一區，有自己的學校、制度、農場、軍隊，以保衛傳統文化和尊嚴。小鎮對於政府處理失蹤學生的無能態度感到憤怒，當時官方的說法是伊瓜拉（Iguala）市長夫人因為不滿學生要陳情抗議，所以指使毒梟將學生處理掉，學生上了警車後就下落不明。這樣的說詞引起輿論譁然，這個長期有反骨精神的小鎮更是忿恨不平，處處是抗議的標語和那些學生的照片，號召民眾上街抗議的紙張和亡靈節繽紛的色紙一起在風中翻飛。

11月1日，亡靈節。一大早民宿管家就叫我到公墓走走，他說：「亡靈節超人氣的地方就是墓園，這也是家族團圓的日子，大家會鋪個野餐墊陪墳墓裡的親友一整天；有些城鎮甚至還有在亡靈節陪逝者共眠的習俗，也就是在墳場過夜。妳應該去看看。」我很納悶以路人的身分走進墓園會不會不敬，管家說：「亡靈節是串聯陰陽兩界的派對，妳去就對了，墨西哥的祖靈們應該很開心有個台灣人去拜訪。」

跟著大批抱著花束、扛著餐食與梅茲卡爾酒瓶的人潮，我走到了公墓，每一個墳塚即是一個野餐區，人們在此和家人相會，帶著酒和食物於墓園野餐。有的家庭還會請樂團在墳前為亡者演奏幾首、歡唱幾段，公墓洋溢著音樂以及梅茲卡爾的酒香。熱鬧溫馨的氣氛讓我對墳場的印象完全改觀，就這樣逛著墓園、聽著歌，悠晃大半天。有一個家庭看

公墓洋溢著音樂以及梅茲卡爾的酒香，熱鬧溫馨的氣氛讓人對墳場的印象完全改觀。

我到處張望，邀請我一起喝一杯，婦人說：「今天是陰陽界的團圓日，我們家的祖先一定很開心有外國人一起來同樂。」我坐在他們家族的墳前，喝著他們的梅茲卡爾、吃著玉米片。

家族的長者在我的杯子裡倒進另一款褐色的酒，有淡淡的甜氣，他說：「這是很傳統的酒，叫做普逵酒（Pulque），是幾百年前墨西哥人酬神時會獻上的酒款，被稱為神靈的飲料，現在只有一些小酒廠製作。」由龍舌蘭發酵製成的普逵酒不若梅茲卡爾厚重，果實發酵的酸甜味很容易上口，他們看我喝得開心，又幫我加酒。身旁的吉他手吟唱著一首接著一首的情歌、他的表情非常陶醉，在歌與歌之間總是以一小杯梅茲卡爾串場，婦人說：「我公公很喜歡Pedro Infante的歌，每年這個時候我們都會在他墳前，喝著梅茲卡爾、唱著Pedro Infante的歌，這就像家族的年度演唱會一樣。」她跟著音樂哼唱，家人也紛紛加入合唱的行列，最後變成家族大合唱。

亡靈節散場後，我帶著迷濛的眼神，繼續在墨西哥公路旅行，身旁的墨西哥人悠悠地說：「遍地的菊花要收拾了，接下來要來立聖誕樹了。」眼前陽光仍烈、身體還微微冒著汗，很難想像銀白的冬日快來了。車子走著走著，又聽到手風琴、小喇叭的聲響，我以為是幻覺，昨日亡靈節慶典的音樂難道常駐在我的耳窩？往窗外瞧，好幾組樂團在馬雅人撒滿小菊花的墓園開心地彈唱，在花草之間還可以看到幾個以甘蔗和玉米發酵釀成的POX酒瓶，鄰座的人說：「那是馬雅人還有恰巴斯州人特有的靈魂之飲，可以治療靈魂也可以祛除病痛。」我說：「亡靈節不是結束了嗎？怎麼墓園還那麼熱鬧？」他好心地問問剛上車的村民，笑著說：「因為今年亡靈節碰到星期天，這個村子的人覺得亡者可能星期天在休息，沒有出來一起跳舞一起喝酒，所以今天加碼慶祝，讓昨天休息的亡靈今天可以補假吃到飽、喝到High。」

亡靈日的馬雅墓園非常熱鬧。

派對後的動物感傷

　　梅茲卡爾澆灌了整趟旅程，亡靈節的繽紛與High勁讓人天真的以為任何事都可以和解、梅茲卡爾下肚即可達成世界和平的夢想。派對散場後，真實人生更顯清晰，巨大的惡迎面襲來，墨西哥政府宣布破案：學生全數罹難。當天，我需搭飛機離開墨西哥，正在把聖誕樹擺正的飯店員工看著電視螢幕，一直咒罵、流下眼淚，他嚷嚷著：「我們國家太瘋狂了，這些孩子一定被藏起來了，不可能死的，政府沒有找到屍體啊，只是找到幾片焦炭就說破案，政府的說詞完全沒有證據。」把我的行李推出飯店的門僮也一直搖頭，他嘆口氣說：「政府太低級了，不管怎麼樣，這些孩子終有一天會跟我們團圓的。」

　　在回程的飛機上，看了墨西哥的動畫片《The Book of Life》（中譯《神魔奇緣》或《曼羅奇遇記》），故事就是在講亡靈節，貫穿主題的主題曲〈Te Amo Y Más〉（我是多麼愛你）是由後來演Netflix《毒梟：墨西哥》的主角Diego Luna所唱，情節就像墨西哥肥皂劇所堅信的：愛可以化解一切。但對比無辜消失的43個學生，真的很難為這件事找到合理解釋、也看不到愛的可能，那是陷落在世界盡頭不知道該如何解釋的惡。

　　想喝一杯酒來淡化複雜的情緒，但在墨西哥航空的酒單上，找不到梅茲卡爾的字眼，只好點杯Maestro Tequilero reposado，少了梅茲卡爾這方生命之水，哀傷無邊無際地蔓延，我徹徹底底地離開墨西哥的魔幻靈魂。

Oaxaca, Mexico

後記notes

結束墨西哥的旅程後,以為43個學生的失蹤案已經結案。後來陸續聽說有獨立調查單位抽絲剝繭地想要了解究竟學生是怎麼失蹤的?為什麼失蹤?如果真的死了,是怎麼死的?(政府的說法是在伊瓜拉的某個亂葬坑被就地焚毀,用輪胎和木頭當燃料狂燒一天。但這些偵查員證明要把一具屍體在戶外燒成炭,不是幾根木頭就可以解決的,況且焚屍的那天還下雨)整個調查行動不斷被政府介入、打斷,最後脅迫中立單位終止調查。

2018年的年底,墨西哥新總統羅培茲歐布拉多(Andres Manuel Lopez Obrador)上任,其中一個任務就是要繼續調查伊瓜拉43名學生的失蹤案。2019年Netflix推出紀錄片《伊瓜拉學生失蹤案》(Los días de Ayotzinapa),即記錄這場悲劇的原委,依照紀錄片的說法,就是一連串的失誤和誤會釀成大錯,然後政府單位上上下下不斷說謊,以掩蓋這個錯誤。紀錄片呈現失蹤學生的家屬,從孩子失蹤的那一天,不斷地上街陳情、抗議,一直持續到今天,只為了釐清真相。他們不甘心孩子那麼隨便的「被失蹤」。過去,這個國家的人民對於有人「被失蹤」多半持靜默的態度,這是第一回民眾強勢地要知道「被失蹤」的真相,原本只是抗議政府失能的群眾,已經聚集成一股社會運動。

Part 3

酒途的
極境

歡迎來到最寂寞的星球，
越喝越多、越喝越沉淪，迷濛雙眼所張望的是
美麗新世界。

重返飲酒的
純真年代

亞美尼亞．葉綠凡
Yerevan, Armenia

深夜抵達亞美尼亞的首都葉綠凡（Yerevan），巨大的Karas紅酒瓶雕塑立在機場停車場出口。計程車司機說：「我們六千年前就開始釀葡萄酒，是世界上最古老的酒國。來亞美尼亞一定要喝白蘭地，就是那個亞拉拉（Ararat）。」路過紅酒塑像後，一路所見都是亞拉拉白蘭地的廣告招牌，尚未見到諾亞方舟停泊的聖山亞拉拉山，就被鋪天蓋地的酒商廣告洗腦。我沒料到，和這個陌生國度初次見面，就是以酒相逢。

四千五百年前，為了避開毀滅世界的大洪水，諾亞打造方舟載著一對一對的動物逃到亞拉拉山。千年以來，諾亞的後代亞美尼亞人在亞拉拉山下堅持對神的信仰，儘管經歷了外族侵略、國土縮水、恐怖屠殺，仍屹立在有如豺狼虎豹般瘋狂的鄰居間。雖然是世界上第一個信耶穌的國家，但神似乎只想以各式各樣的災難與試煉考驗其忠誠。血淚交織的神話和傳說固然引發我旅行的想望，但真正刷下機票、願意在卡達轉機十幾個小時的原因是葡萄酒。只因為曾經在某本酒書上看到「亞美尼亞是世界上最早釀製葡萄酒的國度」的字句，立刻激起我一定要來喝一杯的慾望。（雖然他的鄰國喬治亞也宣稱葡萄酒歷史超過六千年，但礙於台灣護照無法取得喬治亞的簽證。）

失落人間亞拉拉

　　老實說，我很容易被「飲酒的文明古國」這般字眼誤導。過往的酒國，不見得此刻人人得以自在地沉醉酒海。幾年前去伊朗的時候，心心念念要走訪舍拉子（Shiraz）這個城市，據說我所愛的席哈（Syrah）葡萄就是發源於此地。怎奈過去在畫冊上看到的波斯人飲酒尋歡的畫面早已成過眼雲煙，對照當下伊朗禁酒的情境，飲酒饗宴簡直是幻象。心中不禁響起警鐘：莫非每個國家的國運裡也是有飲酒額度的設定？當前人把飲酒的額度用光時，後人莫非只能喝白開水？

　　計程車拐了一個彎、上了一座橋，前方燈火閃耀處就是市中心了。司機指著在半山腰的建築說：「那就是亞拉拉，妳一定要去見識見識。」他所指的方向並非聖山亞拉拉山所在的地方，而是名震白蘭地界的亞拉拉白蘭地酒廠。在經濟活動遲緩的亞美尼亞，白蘭地商機一枝獨秀；甚至，各國元首造訪亞美尼亞，都會安排到亞拉拉酒廠參訪，它是此刻亞美尼亞的驕傲。

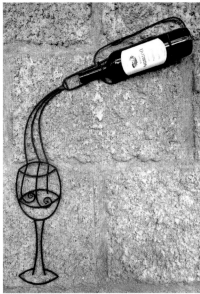

翌日醒來，窗外是覆著白雪的亞拉拉山，山很清晰、很近，但對亞美尼亞人來說它只能瞻仰、不能擁有，因為就當下的國界來說，山算土耳其的。但為了強化亞拉拉山跟他們精神上的連結，我在二十四小時內，看到各式各樣的亞拉拉：亞拉拉銀行、亞拉拉大飯店、亞拉拉餐廳、亞拉拉咖啡……彷彿嘴巴喊、心裡想，那座象徵救贖的山，就是自己的。我跟旅館拿了張地圖，試圖了解相對位置，櫃檯人員說：「別看我們小，我們最強盛的時期領土可是從地中海到裏海。」這句話，在這段旅途會不斷被複誦。另外一句會重複聽到的句子是：1915年土耳其政府發動種族滅絕大屠殺，殺了一百五十萬的亞美尼亞人，土耳其政府到現在還不承認是種族滅絕、拒絕道歉！

亞拉拉的滋味

那就從在地人心心念念的亞拉拉開始這趟旅程吧！由市中心一路散步、過橋、爬坡，終於抵達像是私人莊園的亞拉拉酒廠。門很厚、門前的玫瑰開得很大器，才早上十點，就已經有五個人在大廳等候導覽與品酒。至於服務台後方的展售中心，則湧進一台遊覽車的美國人選購各式各樣的白蘭地。可以想見當他們拎著這些酒遠渡重洋回家和親友分享時，講出「這可是來自亞美尼亞的白蘭地」的驕傲神情，陌生的國度讓它的酒充滿魔力，更何況象徵救贖的亞拉拉名號，更憑添此酒的神力。對許多人來說，這是來自世界盡頭的酒，亞美尼亞？在哪裡？這個夾在的土耳其、伊朗、喬治亞、亞塞拜然間，面積兩萬九千平方公里、人口三百萬的文明古國，儘管歷史悠久、近代還發生種族滅絕悲劇，但世人對它的印象普遍模糊。

名喚伊蓮娜（Elena）的纖瘦女子，踩著高跟鞋，俐落地為我們六個觀光客導覽。她說：「我們剛獲得舊金山烈酒大賞金牌獎，所以最近參

（上）大屠殺紀念館呈現亞美尼亞人曾遭受的恐怖過往。

（下）亞拉拉山守候在首都葉綠凡旁，但山卻不屬於亞美尼亞。

訪團很多。很多人非常訝異亞美尼亞竟然有出產酒，其實我們釀酒的歷史達六千年，而在蘇聯時期，我們負責供應蘇聯地區的白蘭地，所以我們的釀酒技術並非憑空冒出來的。」走進酒窖，陣陣融合橡木桶、巧克力、核果的香氣撲來，聞起來有舒心的安全感，彷彿擁有一桶，此生就無憂無慮。放眼所及全都是白蘭地，然而，只有一成會留在亞美尼亞境內，其他九成全數外銷至三十多個國家。

經過一面各國元首來此參觀的簽名牆後，就是品酒室，普丁在所有元首照片的最上方，他直視著準備開喝的我。品酒桌上放著三杯不同年分的白蘭地，酒色由淺到深，我從五年分的開始喝，細緻而華麗的滋味讓人一飲立刻貴婦魂上身，瞬間舉止都優雅起來。和我同桌的是一對打扮得體的夫妻，他們從伊朗飛來度週末，男人笑著說：「亞美尼亞人認為自己被困住，左右都是惡鄰，但對我們來說，葉綠凡是透一口氣的美好出口，從德黑蘭搭個飛機過來就可以喝到很好的酒。妳記得要去Cascade廣場那一區，那邊有很多紅酒舖和很棒的餐廳，在葉綠凡吃吃喝喝過週末實在太過癮。」

我們再品嚐年分為十年的白蘭地，味道醇厚平衡，下肚後整個胃都有支撐點。最後一杯，則是年分為十五年的白蘭地，濃香的可可味洋溢口腔，伊朗女人說：「好奢華的味道！」白蘭地汨汨地流過喉頭，像是幫口腔鑲金一般，我捨不得開口說話，擔心味道灰飛煙滅。我們三人相視微笑，久久無法開口。含著這口香氣，我依依不捨的走回市區，一路經過砂石飛揚的工地、穿過呆板的蘇聯式集合住宅、再路過幾棟不是少片牆就是沒屋頂的破落房舍，但我都不覺得破敗，我的味覺跟視野都被亞拉拉白蘭地鍍上金，看出去的世界處處冒著金光，這個城市楚楚動人。

古老酒國的全新神采

　　本想將眼前的金光歸咎於醉眼朦朧，走到市中心的共和廣場，看到典雅的鐘樓、歷史博物館所散發出的玫瑰色光澤，我以為已經喝太茫。和我相約一起走逛城區的Varditer小姐說：「建築師塔馬尼揚（Alexander Tamanian）在1920年規劃的這個首都時，就是以我們國家豐富的火山岩作為建材，把這裡營造成一片玫瑰色石材城市。」如同大部分蘇聯時期的城市模樣，總是在硬邦邦的大型建築旁，有著落魄、黯淡的水泥色建築群。在氣派的玫瑰色建築旁，多半是以黑色石材粗糙打造的平淡樓房，很難讓我的眼神聚焦。我們沿著Saryan街走著，一間間亮起「VINO」招牌的酒舖，讓街區冒出了神采，他們就像這座城市裡的新宇宙。

　　走進in Vino紅酒舖，舉目所見都是亞美尼亞葡萄酒，櫃檯旁則販賣著乳酪和火腿，情境就像在歐洲常見的葡萄酒專賣店。經營者寶拉（Paula）熱心地招呼每個客人，只要見到外國人，她無不耐心地把亞美尼亞葡萄酒歷史講述一次，她說：「我們明明是世界上最古老的酒國，但此刻產的紅白酒卻被歸為新世界的酒。不過近百年我們受到前蘇聯影響，民眾多半喝伏特加之類的烈酒，紅酒復興其實是這幾年的事。」寶拉跟我介紹著這個小國的葡萄酒區，讓我喝了一杯來自亞拉拉山附近、Areni酒區的卡本內・蘇維翁。味道平衡厚實的酒體，把我從這個國家歷史上的紛紛擾擾抽離，沉浸在靜謐醇厚的時光。店裡正播放著亞美尼亞女歌手唱的爵士樂，當年，亞美尼亞闖進歐洲歌唱大賽（Eurovison）的決賽，亮眼的成績讓他們覺得自己屬於歐洲的一部分。

　　留法又留日的Varditer對自己的國家有複雜的情緒。熟悉國際事務的她可以像許多亞美尼亞人一樣，在海外有很好的工作。但在國外繞一圈後，她覺得要讓這個國家變得更好，就必須待在這裡，和留下來的人

一起努力。她說：「我們的國家很小，可是卻一直是被拉扯著；縱使文化與歷史上與歐洲相近，但蘇聯的身世使我們無法擺脫俄羅斯的控制，尤其克里米亞被併吞的例子就在眼前，難保哪天俄羅斯發神經又吃了我們。」曾經在台灣生活的她，繼續有感而發地說：「其實我們的孤獨不下於台灣，左右兩邊的惡鄰掐著我們政治與經濟的喉嚨，讓我們動彈不得。我們只能往上和喬治亞、往下與伊朗做朋友。」

　　酒舖裡除了亞美尼亞酒，還有一小區展示喬治亞的酒。寶拉說：「喬治亞很會做行銷，他們的酒已經賣到世界各地，妳在歐洲應該都喝得到。倒是我們南方的納哥爾諾‧卡拉巴赫（Nagorno Karabakh）的酒妳一定要試試，這應該是妳離開亞美尼亞就喝不到的酒。」這是我第一次聽到「納哥爾諾‧卡拉巴赫」（簡稱：納卡）的名字，因為酒的緣故。

　　這個名字長到拗口的國家原來是亞美尼亞國土的一部分，但在蘇聯統治時期被劃給亞塞拜然管理。蘇聯瓦解後，各國紛紛獨立，亞美尼亞認為亞塞拜然應該歸還這塊土地，但亞塞拜然認為納卡是他們的一部分。納卡人民為了脫離亞塞拜然發動公投，結果壓倒性地贊成獨立，於是自行獨立建國。但是，世界上不超過五個國家承認納卡的獨立地位。Varditer指出，納卡歸屬爭議不斷，迫使亞美尼亞和亞塞拜然長期處在緊張狀態，1991年還打了六年的戰爭，她的童年就在戰爭期間的斷水斷電中度過。我抵達的前一個月，兩國又在納卡有零星戰火……

　　聽到這樣的歷史，讓人反射性地追加一杯納卡的席哈，寶拉給我一盤她自己曬的杏桃乾、幾片周邊農家做的乳酪作為佐酒小點。喝著那麼寂寞的國家所釀出的葡萄酒，心情非常複雜，輕輕抿一口，初次接觸是乾淨剔透、酒體輕盈，入喉後有很優長的尾韻，她努力地想讓人記得她的模樣、承認她的主體性。

（上）亞拉拉山是亞美尼亞的聖山。

（下）俄國製造的房車LADA在納卡
滿街跑。

世界最寂寞的星球

　　酒是探路燈，在亞美尼亞輪番喝著白蘭地、伏特加、葡萄酒後，我搭了五個小時的車，穿過邊界、過了海關，抵達納卡。邊境的海關給我一張納卡簡介的摺頁，紙張上寫著：1991年建國、首都是斯捷潘奈克特、面積有11,458平方公里、人口有15萬9百人、現任總統是巴科·薩哈揚……但我正在漫遊的手機卻傳來訊息：歡迎來到亞塞拜然！

　　由於納卡剛結束為期四日的戰爭，旅行的時候心情難免忐忑，擔心煙硝味尚未散去，但在地的嚮導Kazine似乎視亞美尼亞和亞塞拜然的衝突為日常。他很有效率地帶我看了著名的人像地標Papik Tatik，以呈現新興國家的意象；走訪了國家博物館，以文物來證明獨立的正當性；還一起探索古希臘城市遺址Tigranakert，以傳達獨立之國的歷史文化高度。只是這一切的刻意都太像「模擬城市」之類的線上遊戲，玩家必須具備各種戰力以達到建國的經驗值，聽著這些縹渺的戰功，益加凸顯此城的空虛，我一路都在打哈欠，好想多喝幾杯酒。

　　納卡的國土面積是台灣三分之一，但人口卻不到台灣的千分之八，若不是進入城市，旅途上最常見到的就是牧羊人與來來往往的軍車。我住在首都斯捷潘奈克特（Stepanakert）大廣場旁的旅店，可以輕易地散步到單調的蘇聯式公園，鋼條露骨的娛樂器材在遊樂園旋轉、竄出小孩的尖叫聲，再走下去是一間老老少少認命排隊的冰淇淋店。沿途多半是水泥感極重的灰色調，我走進幾間小超市，只見蒙塵的伏特加，以及標籤模糊的紅酒，看不到在葉綠凡所見的光鮮詩意酒標。我把友人建議購買的納卡酒款名字寫給老闆，超商老闆搖搖頭說：「這都賣去亞美尼亞了，妳回葉綠凡買。」最後，我鑽進傳統市場，終於聽到溫暖的人聲、看到繽紛的常民生活色彩。

我鑽進斯捷潘奈克特的傳統果菜市場，終於聽到溫暖的人聲、看到繽紛的常民生活色彩。

小販好奇我從哪裡來，熱情地請我試櫻桃、嚐番茄、品乳酪、吃香草餅（jengyalov hats），他們好奇我的相機裡裝哪些納卡風景，於是石頭雕像、希臘遺址、中世紀修道院Gandzasar一一快轉滑過，當然還不乏一些坦克車、軍用大卡車，以及滿街跑的俄製房車LADA，他們邊看這些圖片邊呵呵笑，對我的旅程還算滿意。一個賣酒的小販請我喝自釀的伏特加，然後又端出自己釀的葡萄酒，他說：「納卡的葡萄品質很好，再加上海拔高、溫差大，所生產的葡萄酒賣去亞美尼亞都算是高價酒款。」我沉醉於顏色極深、酒體醇厚又衝出胡椒味的紅酒，沒想到尋尋覓覓的納卡葡萄酒之味，竟然藏在人聲鼎沸的菜市場裡，而且還是用紙杯品味。

買了一瓶沒有標籤、裝在回收瓶子裡的葡萄酒，老闆開心地給我一塊乳酪和一小包核桃。心滿意足地回到旅館，看著外頭的山色、看著窗外孩子們正在進行的足球賽，品著不知名的紅酒，有著久違的純真滋味。

飲酒的純真年代

回到葉綠凡後，應Varditer之邀到她家作客。她家離市區約四十分鐘的車程，有恬靜的田園風情（亞美尼亞的城市規模多半很小，離開市中心二十分鐘，就很像鄉下），院子裡的櫻桃樹正結實纍纍，她伸手就摘了幾顆下來吃，我也跟著抓著抓了好幾粒。她說：「之後就是杏桃、蘋果的季節，我們家的水果都是院子摘一摘就有，尤其杏桃多得驚人，我媽媽都要拿來曬成杏桃乾、爸爸則釀杏桃酒。」我非常羨慕隨手可得鮮果的生活情境，尤其櫻桃、杏桃在台灣常常貴不可攀，我嘴饞地又摘了好幾顆，她家的院子簡直是蓬萊仙島。

一進屋內，陣陣食物的香氣撲來，Varditer媽媽做了一鍋的葡萄葉捲

以葡萄葉捲著碎肉燉煮的Tolma是亞
美尼亞的經典料理。

（Tolma），以葡萄葉捲著碎肉再燉煮的Tolma是亞美尼亞的經典料理。廚房的另一角，則竄出烤豬肉串的肥美氣味，Varditer說：「親友團聚一定會烤肉，亞美尼亞的豬肉很好吃，而且我們的胡桃木很多，燻出來的肉味就是不一樣。」此時，她爸爸已經在餐桌上放了一排酒，有白蘭地、伏特加、紅酒，全部亞美尼亞製造，他笑著說：「妳回台灣前，一定要把亞美尼亞之味全部喝一輪啊！」在物資匱乏，進出口活動不興盛的亞美尼亞，homemade和handmade是必然的選擇。但在全球化、機械化的年代，這種事事純手工、樣樣靠自己生產的世界，如同一則純真的童話。既然無法應付外面的豺狼虎豹，乾脆就關起門在自己家裡買醉吧！反正家裡有酒、有肉、有音樂。

午夜，回到下榻的Pushkin 街住所；旅館旁的紅酒舖還開著，轉角的爵士酒吧Malkas流洩出〈Somewhere Over the Rainbow〉，循著歌聲進去點了杯紅酒，在燈光折射下，酒體映出彩虹的光澤，猶如上帝對祂的子民的誓約。儘管國運坎坷，但能唱歌、跳舞、喝酒，或許就是神蹟。

Yerevan, Armenia

酒徒駐足notes

航班╱從台北出發可至香港轉乘卡達航空飛抵葉綠凡，訂票可洽卡達航空 www.qatarairways.com

簽證╱持台灣護照可於亞美尼亞機場辦落地簽，價格3,000亞幣（約台幣200元）

亞拉拉白蘭地╱en.araratbrandy.com

一路喝進
美麗新世界

波羅的海　愛沙尼亞・拉脫維亞・立陶宛
Baltic Sea: Estonia×Lativia×Lithuania

從芬蘭赫爾辛基搭船穿越波羅的海，不到兩小時的航程就抵達愛沙尼亞塔林（Tallinn）。在塔林的酒吧喝酒，總會聽到人們說：「拉脫維亞的里加才是喝酒享樂的王國。」於是，搭了四個半小時的車去里加（Riga），流連一間又一間酷炫養眼的酒吧後，帥哥美女們竟悠悠地說：「去立陶宛喝，那裡便宜又過癮。」在串聯這三個國家的公路上，越喝越多、越喝越沉淪，迷濛雙眼所張望的是美麗新世界。

從東歐變身為北歐

我對愛沙尼亞最初的印象來自阿福・佩爾特（Arvo Part）的音樂，有一陣子台灣劇場和廣告界很愛用他的作品當作配樂，尤其「Spiegel im Spiegel」（鏡中鏡）不斷迴旋的旋律往往在電視廣告中讓人耳朵打開。單憑音樂辨識這個國家，會與蒼茫、寂寥產生聯想，甚至揣想人們應該要喝大量的伏特加，才能抵禦波羅的海灰濛濛的冬日。當我跟著一群芬蘭人搭著交通船、進入愛沙尼亞後，老城區中世紀的景致完全打破我的幻想。在初夏的豔陽下，城區是童話世界般的幸福氣氛，我沒看到喝著伏特加的陰鬱臉孔，反而是在大大小小的廣場上，遇見人們以大杯的啤酒迎接初夏的燦爛，陰鬱的東歐形象立刻瓦解。

愛沙尼亞的美食作家Silja說：「把我們劃為東歐完全是政治版圖的歸類法，我們過去雖然是蘇聯的一部分，但地理上是跟北歐緊緊相連，從塔林搭個渡輪輕輕鬆鬆到赫爾辛基，我們就像雙子城。」的確，愛沙尼亞真的離芬蘭很近，在冷戰年代，這裡可以聽到芬蘭的廣播電台；若親朋好友有機會到芬蘭，他們還會託友人帶回幾條牛仔褲。相對於當時蘇聯的高壓統治，芬蘭是自由、先進的象徵。從赫爾辛基來塔林洽公的漢克說：「塔林的物價比芬蘭低一點，而且東西好好吃，整體來說塔林老城區很典雅，比赫爾辛基美多了。」

模範生的無毒酒桌

愛沙尼亞一直是波羅的海三小國的優等生，它想盡辦法地跟北歐五國接軌，Silja說：「脫離蘇聯之後，我們和北歐五國的關係更近了，尤其在飲食風格上，其實就是典型的北歐風（Nordic）。」Silja原來是一名律師，因為懂吃且會寫作，成了愛沙尼亞最受歡迎的美食部落客。她

we had.

行旅塔林老城區，有如置身北歐的童
話世界。

帶我去吃飯喝酒的場所多半像是丹麥米其林指標Noma*風格的餐桌，空間絕對的極簡、低調，每一道菜都用細緻的小花小草做漂漂亮亮的擺盤，乾淨而自制，當然還會精準搭配法國葡萄酒。如果要喝啤酒，啤酒的身世一定是精釀、限量、有機。「有機」是她在餐桌上最常跟我說的形容詞。一切都那麼健康、那麼完美，這個新興國家似乎沒有誤入歧途的紀錄，而且還不斷創新，它發明了Skype、建構了智慧城市網絡，舉凡討論小國創新的議題，愛沙尼亞一直都是城市發展研討會上完美的範本。但是人生勝利組不見得認同活著的價值，一直以來，愛沙尼亞都是自殺率高、出生率極低的國家。

　　遊客如織的老城區有太多漂亮餐廳、優雅酒舖，一切美得像美食美酒雜誌上的型錄，但我竟在完美的型錄布景中喪失味覺。我穿過一群又一群的遊客，從老城區走到不再看到有人和風景自拍的新城區，鑽進過去蘇聯時期的公車保修廠。我被震耳的搖滾樂吸進一間精釀啤酒店，重音打在心跳上，瞬間有被電擊驚醒的感覺。在這間從修車廠轉型的工業風啤酒廠內，喝下味道厚實的IPA*，那有點苦又有點甘甜的味道，是抵達愛沙尼亞以來首次接觸到的張狂滋味。身旁優雅的男男女女低聲節制地交談著，像是從北歐電影走出來的角色，他們怎麼能如此理智地抑制住啤酒入喉產生的內在風暴呢？我喝了兩杯啤酒後，決定搭車去拉脫維亞的首都里加。想去不修邊幅、大聲嚷嚷的地方。

---

*　　Noma，位於丹麥哥本哈根的米其林二星餐廳，多次被評為全球最佳餐廳，最佳成績為全球第二名（英國權威雜誌《Restaurant》所評的「全球50大」）。Noma是丹麥文「Nordisk」（北歐）和「Mad」（食物）的縮寫，主廚René Redzepi被譽為北歐飲食革命的先鋒。

*　　IPA是India Pale Ale的縮寫，中文譯為「印度淡色艾爾啤酒」。其特色是釀製過程中使用大量的啤酒花，酒花香濃郁並帶有著較重的苦味。

黑色魔法發威的城市

　　如果說愛沙尼亞是模範生，拉脫維亞的里加（Riga）就有壞痞子的調調。誰不愛壞痞子？星期五的夜晚抵達里加的公車總站，十點，夕陽正燦爛，道加瓦河上的曼舒大橋閃著銀光。穿過地下道、進入有八百年歷史的老城區，沿街的酒吧、餐廳塞滿青春的臉孔，老城跟著回春。爵士樂、搖滾樂、還有洗腦的拉丁神曲〈Despacito〉從聖彼得教堂一路重拍到主座教堂。隨處可見的啤酒杯反射著斜陽而迸發奪目的金光，來來去去的金髮尤物在光束間穿梭，世界遺產級的古城有如伸展台。里加的第一印象，太閃了。

　　街頭氣氛太年輕，每一家酒吧或餐廳都擠滿人，人人手上不是啤酒就是葡萄酒。穿過人群，瞥見一間很像過去歐洲古老藥舖但卻是個酒舖的商店，我在外頭張望，店員立刻到門口笑得燦爛地說：「快進來體會里加的黑魔法。」我以為是某種中世紀的法術體驗或是塔羅類的神祕聚會，沒想裡頭沒見到巫師或仙姑，只見幾位雙頰喝得紅通通、一臉隨和的酒客。不同於酒舖的隨興氣氛，這個典雅的空間有著歐洲老圖書館的氣氛，在厚實的書櫃裡，整齊地排滿了咖啡色、紫色、藍色、黑色酒瓶的Black Balsam。店員說：「這些Black Balsam*是我們家常的滋味，對拉脫維亞人來說，他們具有黑魔法。」

　　我狐疑地點了一杯傳統口味的Black Balsam，單喝一口，味道甜膩，就像德國野格利口酒（Jagermeister），不過入口後，淡淡的苦味轉成甘味。店員說：「Black Balsam曾在18世紀治好俄國女皇凱薩琳大帝的風寒，這款酒精濃度達45%的草藥飲品是我們的生命之水，為日常保健的聖品。」我將shot杯的酒倒進加了檸檬片的氣泡水中，清爽的滋味不失

---

*里加黑魔法酒Black Balsam，酒精濃度45%，是一種藥草酒。

拉脫維亞的首都里拉結合了享樂與迷信，在最熱鬧的廣場可以看到喝酒尋歡的人，也可以看到屋頂上有人以貓的雕像來作法，希望可降禍他人。

為夏日開懷的飲料。

　　和我一起賴在吧檯的男人很好奇我怎麼沒有去音樂催人腦波的酒吧，來到那麼安靜的店，我說：「我一聽到有黑魔法就進來了。」他笑著說：「我不曉得這酒對你有沒有魔法，但對我是有的，我曾經重病躺在床上無法下床，但喝了Black Balsam一個禮拜後，我就痊癒了，很神奇吧！」他的名字是理查（Rihards），從事平面設計的工作，住在里加郊外，剛跟朋友們聚餐散會，他說：「大吃大喝完後，都會來這裡喝一杯Black Balsam，讓心情沉澱一下。」

　　在群情沸騰的星期五，不到三十歲的他竟打算沉澱週末狂熱的激情，未免也太叛逆。他笑著說：「我就是覺得里加太浮躁，所以才搬離這裡，每次進城會友後，都要來喝杯黑魔法才感到自在。我對於那些浮誇酒吧的誘惑感到疲憊，可能我是老派的人吧！」Black Balsam是老派的酒類，不過他還是針對不同的客層，研發多樣的品項。我從極苦的滋味喝到了近期深受女性喜愛、洋溢莓果味的紫瓶款包裝。然而，我還是喜歡最原始的咖啡色瓶，厚重的苦甜彷彿能洞悉生命的奧祕，理查很意外我可以接受這種苦，我說：「吃苦，魔法才練得成。」

看不清的雨中日出

　　走出酒吧已經午夜一點，黑魔法開始發威。看出去的世界異常鮮明，我們在巷弄間穿梭，瞥見某個屋頂竟然有一隻黑貓，我以為自己喝瞎了，定睛一看，真的是一隻黑貓的塑像在屋頂，理查說：「這個城市很迷戀魔法，過去的人認為在屋頂放一隻貓雕塑，將貓尾巴正對仇人，就可以降禍給對方。」型男、美女一直從我身邊走過，街頭嚷嚷的氣氛一點都不像清晨兩點，黑魔法、貓法術、沸騰的情緒，像是有什麼奇幻的事情將要發生，理查說：「你想不想看日出？」我向來最討厭早起看

Black Balsam專賣店很像歐洲傳統藥
舖。

日出，沒想到我竟脫口而出說：「好。」我們約三個小時後再相見。

　　清晨五點，天空飄著雨，我說：「會有日出嗎？」他說：「不曉得，但是波羅的海的天氣變化很快，說不定等我們到那裡，天氣就變好了。」黑魔法再次發威，我們頂著越來越大的雨往凱邁里國家公園駛去，公路上只有我們一台車，在空蕩蕩的停車場停好車後，開始十公里的沼澤健行。不曉得是不是黑魔法的作用，理查的語言洋溢哲理：「我們是很新的國家，但是這片波羅的海的河海交界沼澤地卻有八千年歷史，你看到的這些灌木叢其實都已經生長一百多年了。每次來到這裡，我都會覺得自己是時間和空間裡很小很小的存在。」

　　漫步雨中，我忘了我的目的是要看日出，我們沿著窄窄的木棧道穿越一個一個沼澤，每拐一個彎就有不同的水色與林相，木棧道旁竄出的白色小花吸引我彎腰貼著它們拍照。理查好心地說：「小心一點，這看似草原的苔蘚其實下面是空的，水非常深，常有人不慎淹死。」他的提醒搭上湖面升起的霧氣，上一刻的空靈到這一刻簡直要成了靈異，彷彿再往前一步就會有手從沼澤冒出來將我們拉下去。

　　走進了一座森林，在野餐桌上，吃著理查準備的吐司、配著他自製的果醬，他甚至還帶了隨身的酒瓶、倒出了Black Balsam，他說：「喝一小杯，可以讓身體保暖，今天早上實在是太濕寒了。」望著煙雨濛濛的景致，青蛙呱呱叫著、布穀鳥咕咕啼著，在如此寧靜的地方，任何動靜都加倍放大。理查輕聲說：「不要去算布穀鳥的叫聲，它們叫聲的次數就是你剩下來可以活的年數。」他繼續講述他的大姨媽幾年前一個人來這裡散步，走著走著就失蹤了，整整斷絕聯繫三天，後來才找到人。看來平靜的風景，往往一失足就萬丈深淵。我越聽越覺得寒氣逼人，Black Balsam一杯又一杯。

　　陽光突破厚厚的雲層穿刺出來，連走二十公里的我們，已經沒有力氣再多看什麼景點了，魔法盡失。我睜眼醒來，已經到了旅店門口，感

拉脫維亞濱海的沼澤區林相有上百年
的歷史。

覺睡了很沉很沉的一覺。

兀自運轉的祕密花園

對立陶宛是完全沒有想法的，來這裡只為了完勝波羅的海三小國。但事情總是這樣，越沒期待的景點總會給你最大的驚喜，最後成了你最想重遊的地方。

我沿著老城區的石板路走著，雖然是初夏，但迎接我的陽光只有五度，在低溫裡一切都那麼保鮮。相較於塔林或是里加有著首都的氣勢，維爾紐斯（Vilnius）是歐洲某個幽靜小鎮，小小的城區裡有幾個宜人又小巧的公園綠地，孩子們盪著鞦韆、玩著溜滑梯，新手父母們推著娃娃車曬著太陽，歲月靜好。人們在無人知曉（有多少人知道維爾紐斯在哪裡）的一方天地裡，運轉自己的人生。

散步的沿線有不少咖啡館、酒吧、精釀啤酒店，以及幾間看起來非常宜人的葡萄酒舖。我走進了葡萄酒專賣店Burbulio Vynine，點了一杯席哈與一盤臘腸，酒館的老闆來自義大利，因為愛上立陶宛的女子而留在這裡生活，他說：「這裡是個祕密花園，許多歐洲人還不知道維爾紐斯在哪裡！人們在此地安逸度日，日日喝酒、吃肉太痛快了，而且物價很低。」隨著天色轉暗，越來越多年輕上班族走進店裡，自在地喝一杯，有的獨酌、有的呼朋引伴，每個人的表情都是極為滿足。

喝出美麗新世界

夏日的白天很長，「晚上」九點天還亮著，我循著路標，往對岸共和國走去（Uzupis Republic），在連接「兩國」的橋上看到對岸共和的國旗、國徽，過了橋就進入了維爾紐斯的國中之國。於1997年愚人節成

（下）馬鈴薯鑲肉是立陶宛經典菜色。

立的對岸共和國主要組成分子為藝文界人士，相異於同是標榜自治區的丹麥哥本哈根「自由城」（Fristaden Christiania），總是飄著虛無與大麻的氣味，對岸共和國呈現的是小清新式的烏托邦。畫家在工作室創作但會理會觀光客、書店的老闆一邊打著毛線衣一邊回答旅客追問哪家酒吧有趣、鞋店的後方是型男沖煮著咖啡還邀請路過的人一起品味，連貓咪都跟初來乍到的我撒嬌，在腳旁繞圈圈。

沿著河岸是波西米亞風格的酒吧，鑽進巷弄，許多小店舖掛著藏傳佛教的五色旗，瑜珈、冥想的海報隨處可見。街頭張狂的塗鴉讓安靜的街區揚起巨大的聲響，潑灑在磚牆上的色塊激起空氣裡無拘無束的氣息。再轉進一條街道，看到幾個人對一面牆拍照，走近才發現原來是這個國中之國的憲法，洋洋灑灑的四十一條鎸刻在牆上。除了立陶宛文版的憲法，還有俄文、英文、日文……多達二十幾種語言的翻譯版本。我走到中文版前，忍不住一個字一個字的讀著法條。

每個人都有犯錯的權利／每個人都有變得獨一無二的權利／每個人都有愛的權利／每個人都有不被愛的權利／每個人都有無所事事的權利／每隻貓沒有義務要愛牠的主人，但必須在需要的時候提供幫助……這些法條簡直是美麗的詩句，讓人願意歸化成他的子民。

憲法保障了人們的愛，與無所事事的權利。站在這面牆前，深深覺得被祝福，愛與和平降臨在這國中之國。走進人聲鼎沸的Snekutis酒館，碰到來自挪威的肯和麥特，他們從奧斯陸飛來度週末。挪威長年被聯合國認定為幸福指數第一名的國家，但這兩名酒客覺得立陶宛更幸福。肯說：「在這裡喝酒太划算了，我們花一百五十歐元的來回機票錢，可以在此處自由自在地暢飲。一百五十歐元在高物價的挪威根本喝不茫！」

我們點了啤酒、黑麵包、豬油油蔥沾醬、馬鈴薯鑲肉丸（Zepilline）、煙燻三層肉、炸麵包條，在高熱量的下酒點心間熱絡地

交換此地見聞，甚至評比起波羅的海三小國，肯說：「這三個國家像是連體嬰，但其實大不相同，愛沙尼亞覺得自己是北歐，拉脫維亞認為自己跟西歐連結很深，立陶宛則保留和波蘭的深厚關係，他們真的都不一樣，酒品也不同。」大家一致認同在維爾紐斯喝酒是最痛快的，無論是價格或是氣氛，都讓人自由自在。吧檯裡的酒保一聽，非常得意，開了一瓶在地人愛喝的靈魂之酒999請我們，麥特一喝，立刻脫口而出：「這是感冒糖漿吧！」酒保得意地說：「這是有魔法的神飲！」酒保熱心地在我的地圖上標記著：Piano Man Bar、Bukowski、Portobello……分享著哪家香腸好、哪家乳酪好、哪家啤酒的種類多，他以酒精幫我畫出國界。

　　子夜，慢慢晃回維爾紐斯的大廣場。1989年8月23日，從這個地點，人們手牽手一路牽過拉脫維亞、延伸到愛沙尼亞塔林，兩百多萬人加入這條長達六百公里的人鍊。這場示威活動彰顯了波羅的海三小國欲脫離蘇聯的堅定意志，半年後立陶宛率先獨立。三十年後，這些國家被聯合國列為北歐國家，「東歐」已成許多年輕人無法想像的前世。不管身世怎麼轉換，這條見證命運變遷的公路依舊維繫著南來北往，只是氣氛大不相同。我沿著這條跨時代的自由大道，喝出酣然的酒途。

Baltic Sea: Estonia X Latvia X Lithuania

酒徒駐足notes

....

航班／從台灣出發可搭乘阿聯酋航空至斯德哥爾摩，再轉搭Air Baltic或北歐航空（SAS）前往
波羅的海城市；亦可搭乘土耳其航空前往立陶宛維爾紐斯。
簽證／持台灣護照前往波羅的海三小國免簽。
交通／往來波羅的海間的城市可搭乘巴士Lux Express，網路上提早購票可享優惠，從愛沙尼亞
塔林至里加，約四個半小時，網址luxexpress.eu。
遊程／立陶宛相關遊程與品酒飲食之旅可上網www.vilniuswithlocals.com，該網站亦提供免費
的市區導覽遊程。
里加黑魔法品飲資訊／www.rigablack.com

酒單cocktail recipes

....

黑魔法特調
天堂之梯 Stairway to Heaven

除了直接飲用黑魔法（Black Balsam），亦可調製多款雞尾酒。通常都是簡單的加蘇打水，或
是加冰塊，我在里加還喝到一款「天堂之梯」（Stairway to Heaven）。

材料：Black Balsam Currant 50ml、通寧水100ml、薑片4片、冰塊些許
作法：
在威士忌杯中放入半杯的冰塊
注入黑魔法與通寧水，充分攪拌
最後在杯緣放置薑片

喝到南極
到不了的地方，
就用酒精吧！

南極
Antarctica

一想到杯子放在戶外甲板的桌上十分鐘就會結凍、冰櫃裡頭的冰可能來自萬年冰河遺落在海面上的結晶……整個喉頭就渴了起來。我仍然記得從海上撈起海冰、其剔透奪目的色澤；我仍然記得把它含在嘴裡的甜味，那結合時間與純淨空間所醞釀出的晶體激發出威士忌香氣、釋放琴酒的隱性幽香，因著這個味道，我要重返南極，一而再、再而三。

瑞士女孩法賓娜在南喬治亞往南極的途中拍著一座冰山，我說：「不用拍那麼多，南極有更大更美的。」接著，我們經過了謝克頓船長南極探險之旅被困住的象島，來自法國的馬修用長鏡頭連拍島上頰帶企鵝（Chainstrap）可愛的面貌、捨不得放下相機，我說：「別擔心，到南極後，頰帶企鵝到處都是，用手機拍就可以。」

　　又經過兩天半的航行，早上醒來，透過窗戶瞧見南極大陸。旅人們興奮地站在船艙五樓的戶外甲板（簡稱Deck 5）張望，等待行程中規劃的登岸行動、準備和企鵝近距離的見面，但探險隊長萊恩卻要大家到會議室集合。他說：「現在風浪太大，我們無法登岸，今日所有的登陸計畫取消。雖然明天的天氣還不錯，但是如果我們明天仍留在南極半島，回程在德瑞克海峽會遇到超級風暴、非常危險。我們必須立刻返航，各位在Deck 5拍照三十分鐘後，船就要離開南極。」

　　會議室的氣氛降到冰點。114名旅人花大錢、請長假從世界各地來參加南極之旅，結果竟然無法抵達目的地。儘管過去一個多禮拜在南喬治亞、福克蘭群島天氣和運氣都好到不行，看到極精彩的信天翁棲地和上萬對的國王企鵝，但此趟行程的高潮理當是南極。已退休的以色列教授嚷嚷著：「沒有南極的南極之旅是天大的玩笑！」群眾的情緒複雜且消沉，探險隊長試圖以啦啦隊長的振奮口音說：「請大家到Deck 5喝香檳，慶祝我們抵達南極。」

　　就GPS的定位來說，我們是到了南極，可是就是沒有碰到、沒有摸到、沒有聞到企鵝屎的臭味、沒有在冰上跌倒、沒有機會反覆看著蒼白的大地說好無聊。總之，不算抵達。法賓娜說：「天哪，我之前聽說有人上了前往南極的船卻沒有抵達南極，我還哈哈大笑、覺得不可思議，沒想到自己就遭遇此種厄運。」眼前的南極大陸被低矮的雲壓著，只見到朦朧的冰河，灰色的海水在岸邊翻滾，模糊的風景讓人按不下快門。

如果不是因為這是我第三次來，
我應該會沮喪到喝不下香檳

　　多數的旅人喝完香檳、拍完和模糊南極大陸的合照後，就回到舒適的房間或交誼廳，繼續聊著世界局勢或是未來的旅遊計畫，船公司甚至播放前往北極旅遊的宣傳影片，企圖吸引一些旅人再一起走訪北極。基本上，此次的南極「探險」之旅結束了。雖然海圖上的定位是南緯65度，但在船艙所從事的事情等同於北緯23.5度，甚至餐檯上還擺著老乾媽辣椒醬與龜甲萬醬油。

　　海風狂拍著我的臉頰、天空降下了雪花，看著無緣登陸的南極大陸，有種荒謬感。眼前的浪越來越大、船的方向往北，但狂野的「風」景竟讓我捨不得離開Deck 5，我坐了下來，任由身體跟著風浪擺盪，視野看著黑青的海色與遠方的灰白大地。法賓娜則在另一角不斷抽著菸，眼神失焦地望著南極大陸。至於總是穿著亮麗藍色外套的馬修，捧著長鏡頭靠著船舷，試圖捕捉信天翁跟著氣流展翅的畫面。而剛從德國中學退休的歷史老師辛格麗德不時用望遠鏡看著遠方，她的嗜好是駕著帆船旅行，對她來說，南極之旅的魅力是海象……

　　我們各自沉浸在自己的世界，看海浪快要吞噬了船、看信天翁優雅的滑行、看遠遠的鯨魚噴出水花。從船要駛離南極半島的那刻，我們這幾個獨自前來南極的旅人，很有默契地想要跟時速達70公里的風與平均標高四米的浪同進退、直到旅程結束。是會暈船的，但南極的風很冰很醒腦，世界就處在快暈又還沒暈的迷離狀態。雖然沒有在南極登岸，但在Deck 5多少可以模擬百年前探險家以肉體之身面對世界最險惡之旅的情境。

　　我的德國室友凱琳端了一杯Jameson給我，她說：「還好在福克蘭群島的West Store，妳提醒我要多買一點酒，我原本覺得南極旅程帶那麼

多酒有點荒謬，我現在完全明白，這真的是完美的安慰劑。」

去南極一定要張羅好酒

造訪南極三次，綜合之前的經驗法則，最重要的物品不是禦寒衣物或是暖暖包，而是酒水。第一回的南極之旅由於船公司更動船期，為了彌補改期對大家的不便，每天晚上餐桌上都會免費招待葡萄酒；第二回的南極之旅，有一個哥斯大黎加的服務生，習慣性地在我桌上的紅酒杯裡裝酒，我就這樣順勢地喝了將近三個禮拜的葡萄酒，最後也搞不清楚誰去買單。酒，赫然成為南極旅程中不可或缺的存在。

當然，南極之旅喝酒的高潮是威士忌。每當從登岸的灣澳搭著橡皮艇返回探險船時，好心的工作人員都會順便打撈起海面上幾塊剔透的碎冰，我總是那個自願冒著手受凍也要捧著大冰塊的運冰人，對我來說，海上漂浮的碎冰如同旅程的聖盃，南冰洋的陽光空氣水全部凝結在此。抱著冰塊回船後，我立刻遞給酒保，酒保興奮地拿起冰錘把冰塊剉小，然後像是給我獎勵一般遞給我一杯Whisky on Rocks。以體力取冰、純手工剉冰，再澆淋威士忌，有一種大探險時代的復古飲酒之感。當舒適的「探險」船已經發展到滿足旅人愜意拍照而不會沾染到南極塵土與疲憊、先進的禦寒衣物早已征服極地的低溫帶來的不適，能徒手抓冰、放入杯中配酒飲用，成了與極地最赤裸的接觸。望著手中的Whisky on Rocks的Rocks，一直冒出細緻的氣泡，覺得分外夢幻，用南極玄冰組成的Rocks讓威士忌的味道超越了時空、橫跨好幾個緯度，我無法再南下探索的南極冰風景，全部都收納在酒杯裡。

當我讀著記載羅伯·史考特悲壯南極探險旅程的《世界最險惡之旅》一書時，看到「冬季之旅」章節所羅列的攜帶物品，在奶油、鹽、茶葉、衛生紙、蠟燭、乾肉餅等雜項裡，看到了酒。在考量雪橇載重而

必須對重量錙銖必較的清單中，酒儼然是安定人心的重要準備。百年前的探險家在防寒設備上需耗費很大的心力，但現在的極地旅行者主要面對的其實是心理上的情緒失調，比方海象不佳造成的必然性暈船、或是天候不佳讓一些登岸計畫取消，這些心情上的無奈並不是穿著厚外套、全身上下貼滿暖暖包就可以解決，在一片蒼茫、人人萬念俱灰之際，酒精是唯一能活絡情緒的良方。

上一回的南極海域旅程，在福克蘭群島首府史坦利的West Store超市發現有豐富的酒類，當時只見船上的工作人員在短暫的停留時間裡抓了好幾瓶威士忌，我也腦波弱地跟著拿了幾瓶。沒想到離開南喬治亞後，風浪變大，船在海上緩慢航行四天，所有的登岸計畫全部取消。在被困在船上隨波逐流的日子裡，West Store買的威士忌簡直就是靈魂解藥，我邊看著小說、邊小酌，海浪的晃蕩和微醺的視線結合成共同的頻率，當許多人嚷著船很晃很搖的時候，我卻覺得世界是平的。我突然明白在南喬治亞的葛瑞芬根（Grytiviken）工作站遇見駐站英國官員羅伯特所說的：「威士忌在極地給人安定的力量。」他說這句話時，臉部表情好柔和、好謙卑。

既然到不了南極，就好好喝吧

不能在南極登岸的沮喪情緒在船上各個角落蔓延，想到接下來一個禮拜的南極旅程等同報廢、無法下船看企鵝、見冰山，不少人把自己關進房間裡、只有吃飯的時候才會出現。至於可以呼吸到南冰洋冰空氣、欣賞浪高三米情境的五樓甲板，鮮少人上來，只有我們幾個獨自來旅行的人願意成天在此吹著海風、望著時晴時雨的天色，法賓娜說：「我們簡直就是Deck 5俱樂部！既然到不了南極，那就盡情享受這個緯度的風吹日曬，還有酒精。」

我們分享著從福克蘭群島買來的酒，威士忌、琴酒、伏特加、紅酒、白酒、氣泡酒跟著海浪一起傾斜，以海風冰鎮、以海浪shake，渾然天成的調成南極風格的迷茫飲品。馬修說：「風把船傾向左邊，酒精讓我們傾向右邊，左右自然取得平衡，這真是平坦的航行！」喝酒衍生出的哲理不多，多數的時候我們是以船上的八卦配酒。看似無所事事的旅程，人與人的關係卻暗潮洶湧。獨自旅行者往往成為那些雙雙對對或是成群結隊旅人的心靈導師，每到必須面對全船團員的用餐時分，總有人來跟我抱怨或是講祕密：澳洲男吻了英國整型女還發現她的胸部是假的、船上的工作人員用西文問酒保有沒有多的保險套、偕妻子來的加拿大男人每天跟不同的女人調情。相較起來，誰的室友已經一個禮拜沒有洗澡、台灣團的晚餐桌上都有加菜都是小新聞。看不到盡頭的海上航行喚醒熟齡族的後青春期，在不斷搖擺的南冰洋上，有人吐得厭世也有人希望船不要停，關於愛的想像與動作可以持續。

險惡海域的溫柔酒吧

船上是有酒吧的，Deck 5俱樂部成員在晚上十一點過後，便會到酒吧集合。酒保西斯多（Sixto）堪稱是全船的精神領袖，當有人被沒完沒了的海上航行搞得萬念俱灰時，來這裡點一杯，總會得到他的安慰。西斯多會說：「你的運氣算好了，二十天的旅程，至少有一半的時間有登岸，而且在南喬治亞看到的企鵝狀況不錯，我之前有一個航次，二十天只有下船一次，其他十九天因為天候不佳只能待在船上，客人也無可奈何。」在大大小小郵輪上當酒保達三十三年的他，隨手拈來的例子，都可以讓旅人覺得自己命很好、應當惜福，當幸福感湧來時，就會不自覺地多點一杯酒。

西斯多看到副探險隊長瑪塔手肘倚著吧檯，立刻調了一杯琴湯尼（Gin Tonic）給她，笑著說：「不要冰，對吧！」在團員前總是強悍俐落的瑪塔，竟流露小女孩般的笑容，開心地喝著琴湯尼。瑪塔說：「每回出任務，只要在工作人員名單上看到酒保是西斯多就會鬆了一口氣，我知道只要有他在，每天工作結束後，都會得到一杯溫柔的琴湯尼。」這一航次由於南極登陸失敗，遊客情緒多半不佳，再加上被迫多出來的大把時間不曉得如何消耗，有些偏執的旅客就不斷找工作人員麻煩，為無奈的航行增添火藥味。有人質疑這艘船的探險隊員不夠專業，嚷嚷著：「這批探險隊員根本不合格，他們應該要盡全力讓我們可以登陸南極，而不是這麼輕易地放棄。」有人精打細算地說：「這艘船看到風浪就逃、不勇敢的航向南極，就是為了省油料。」還有人到船長室請船長把船開得快一點，他說：「既然無法登陸南極，那就應該火速把船開回烏蘇懷亞，船開那麼慢，無非是為了殺時間。」

各式各樣的質疑與謠言，搞得探險隊成員人人灰頭土臉，尤其當時宣布放棄南極登陸的探險隊長萊恩，更是飽受抨擊。他十九歲的時候就在極地的探險船工作，現在未滿三十歲就已經當上探險隊長，當遊程順利、人人看企鵝看得很滿意時，大家誇他年輕有為；當此刻遊程不順、連南極都到不了時，多數的旅人都對他搖頭，覺得他太年輕、沒經驗，才會浪費大家的時間。每到午夜，萊恩都會飄來酒吧，那時候，大多數的遊客都已經散去，鋼琴師彼得也收工，在空蕩蕩的酒吧裡，西斯多會端給他一杯威士忌，兩個人不怎麼交談，萊恩整個身體鬆了下來，跟著海浪晃著、晃著。

當船穿越險惡的德瑞克海峽時，海浪翻滾劇烈，之前我總是嗑許多暈船藥躺在床上，但這回在五樓甲板吹著海風、以眼神跟信天翁一起御風滑行，竟忘了海流激烈。

法賓娜說：「我花了快三十萬，沒抵達南極、沒看到南極的冰山和

企鵝，但成天在五樓甲板吹風觀浪，在精神上似乎跟探險家謝克頓、史考特、阿蒙森有了連結。」

辛格麗德則說：「百年前的探險家靠著簡陋的裝備可以抵達南極，我們在那麼先進的船上，卻懼怕風浪，亟欲逃離南極真實的面貌。」

酒水陪我們穿越多數人吐到昏厥的德瑞克海峽，一直暢飲至進入了比格爾水道（Canal Beagle），所有的酒都喝完了。成天面對浩瀚的汪洋，那一瓶又一瓶的酒水，好渺小，當酒精注入大海，不會掀起汪洋的騷動；但當他們飽含海風注入我們的身體時，卻讓身體機能與大海更和諧。「再喝下去，我們應該會變成海洋哺乳類。」法賓娜說。

長達一個星期緊握酒杯、完全不著陸的海上航行像場夢，尤其最後看到烏蘇懷亞（Ushuaia）的萬家燈火，非常不真實，瞬間找不到和陸地溝通的語言。著陸後，Deck 5俱樂部成員帶著南冰洋染上的重感冒解散。我在烏蘇懷亞的「南極青年旅館」（Antarctica Hostal）昏睡了兩天，高燒退後，在鄰近的超市買了一瓶據說是謝克頓船長所愛的威士忌，想以酒香召喚南極的旅程。但怎麼喝都沒有在Deck 5喝的味道，少了南緯65度的冰冷空氣冰鎮、也少了德瑞克海峽來自地心的失控攪拌，它，好平順，平順到讓人想再次出航，重返南極。

下一回，我會準備更多的酒。

Antarctica

酒徒駐足notes

....

Deck 5俱樂部誕生的船／極地探險公司Poseidon 的Sea Spirit號，網址：poseidonexpeditions. com，該船專門行駛南極與北極旅程，是很舒適的探險船。南極旅程諮詢可洽瀚世旅行社02- 25118226。

喝到北極
從永晝喝到永夜

北極
Arctic

比起南極的酒途，北極顯得逍遙。不管是在芬蘭聖誕老人村跨過那條寫著66°33'的線；還是在俄羅斯的莫曼斯克的市郊圓環看到68°58'的雕塑，那種昭告天下過這條線就到北極圈的直白主張，少了突破層層風雪的歷險感，反而像是穿越一扇電動門，穿過門就可以跟聖誕老公公說嗨。直到在北極圈內喝下冰天雪地凍出來的伏特加，身體與心智才深刻地意識到：我到北極了。

在芬蘭羅瓦涅米（Rovaniemi）的聖誕老人村踩了一下代表北極圈的白線後，我就跟著薩拉（Salla）驅車到附近的湖濱。湖邊有一個小木屋正冒著煙，薩拉熟門熟路地走進小木屋、脫光衣服、淋浴，然後走進桑拿室，兩個見面不滿一小時的人，在高溫八十度的小房間裡裸裎相見。她拿起爐火旁的一捆青草葉快速地拍打手臂、肩頭、大腿，她說這樣可以促進血液循環；然後她要我用青草葉拍打她的背。每打一下，青草葉屑就在桑拿房裡飛舞，熱氣燻出整房的青草香。我們像運動過度的選手，飆了滿身大汗，當快承受不住熱氣時，薩拉推開木門、直奔到湖邊、躍入湖中。她吆喝著我一起來，她說：「芬蘭雖然是千湖王國，但妳沒有跳進任何一個湖，就不算來過。」

一鼓作氣地跳進湖裡，第一秒覺得心跳停止、全身無感。接著是逼近骨髓的寒意襲來，就在牙齒快要發抖時，腳底板竟升起一股暖意，不知道該說很冷還是很熱。天空突然飄下大雪，在光亮的夏天。當腳指尖開始有股冷氣要竄上來時，我們游出湖面、披著毛巾、坐在湖濱的石頭上。桑拿店的女主人已準備好伏特加和熱茶放在湖畔的小桌，我們不約而同地飲下伏特加，感受暖流從口一路往下啟動的路徑，剔透的酒就跟眼前的湖泊一樣剔透。

不停歇的日光派對

我和薩拉是靠email認識的網友，之前沒見過面。最初我在羅瓦涅米觀光局的網站信箱寫下我的疑惑：夏天造訪以極光聞名的羅瓦涅米會不會很無聊？這個城市除了聖誕老人外，還有沒有其他有趣的人？在觀光局擔任專員的她很快地來信：夏天有午夜的太陽可以看、夏天你可以看到芬蘭人笑得很開心的樣子、夏天的房價大概是冬天的六折。我完全是被房價打六折這個字眼吸引，決定從赫爾辛基搭十三個小時的北極特快

車闖進芬蘭的北極圈。我們前前後後往來數封信,她的口吻越來越像朋友,最後一封是約見面,她寫著:「那我們就洗桑拿見囉!」和不曾見過的人,首次見面就相約洗芬蘭浴,怎麼想都覺得有點怪。

薩拉從小就在羅瓦涅米長大,此地是芬蘭進入極地的入口城市,八萬人住在比台北大上近三十倍的區域。這裡聚集了全球對於北極的夢幻想像:冰雪世界、魔幻極光、還有聖誕老人⋯⋯但光鮮夢幻的另一面就是有長達八個月的冬天,九月以後天空就開始變灰、太陽漸漸成了裝飾品,甚至喪失溫度。接著就陷入漫長的陰沉與黑夜,「黑夜很長很長,會懷疑太陽是不是已經脫離宇宙軌道,不打算幫地球打光了。」薩拉說。她笑得比北國的太陽還要熱情,說道:「我們這裡的人在夏天都有一張和冬天截然不同的臉。」我很幸運,看到夏天的臉。

極圈的人對夏日的迷戀,彷彿是得到救贖。夏日魂上身的薩拉,一天超過十二個小時在森林裡走動,她試圖把冬天無法進行的運動量全部補回來,如同接受太陽能發電的載體,陽光越亮,她的活動力與情緒益加光芒萬丈。我們幾乎每天都會約在河邊散步,若不是瞄一眼手機,不會發現已經半「夜」兩點。星期五「晚上」的街道正熱鬧,在白花花的天光下,濃妝豔抹的男男女女在酒吧門口聊天,世界清晰得讓人害怕。這款天光要消耗多少酒精,才能讓眼神迷濛?

永遠不會下山的太陽,錯亂我的時間感。總覺得日子沒有前進、一天沒有落幕。我逛了一天的小鎮、參加了一個夏日風雪攝影團、還往北挺進到荒野尋找馴鹿的蹤跡。這三天我都沒怎麼睡,天都不會暗,我忘了該怎麼睡著。更詭異的是,異常的清醒讓我不想喝酒,連烈日下喝啤酒都不想。離開北極圈的時候,薩拉特別帶我去超市買酒,她說:「要搭十三小時的火車,買些貨上路比較安心。」她在我的購物籃裡放了芬蘭的琴酒、伏特加、通寧水、氣泡酒、梅子酒,還塞放兩包馴鹿乾當作下酒菜。她笑著說:「夏天的酒精要有泡泡,才燦爛。下次6月來,我

（上）芬蘭被稱為千湖之國，走進大
自然可以感受蒼茫清新的水色。

（下）芬蘭人熱愛桑拿，桑拿文化是
芬蘭基因的一部分。

們一起去採菇、採野莓。」

冷服務，溫啤酒

北極特快車緩緩地駛離月台，薩拉奮力地跟我揮手，陽光好強烈，眼前的一切都像過度曝光的影片。拉下一半的窗簾，將車廂裡的光線調到比較不刺眼的程度，我打開薩拉幫我準備的酒，兌上氣泡水，慢慢地飲用。北極圈內的一切，像是氣泡。在半夢半醒間，抵達了赫爾辛基，一個不怎麼美麗的城市，和周邊的北歐幸福城市們相較，赫爾辛基很平淡，人也長得平淡，是那種快要趨近於俄羅斯的臉，可是又有些許的線條把他們拉回歐洲的面貌。

連打著幾個哈欠，從中央車站搭著四號電車前往監獄改裝成的旅店Hotel Katajanokka，電車經過一座摩天輪，大型的機具在市容呆板的港邊無奈地轉著，念頭開始質疑自己為何置身於此。鄰座的伯伯順著我無神的雙眼指著摩天輪說：「那個咖啡色車廂是桑拿喔！」我不禁一驚，在摩天輪裡竟藏一個溫度可以飆到八十度的烤箱，這簡直是芬蘭導演阿基・郭利斯馬基式的黑色幽默，引人遐想。

會想在赫爾辛基落腳幾天，其實是衝著阿基・郭利斯馬基（Aki Kaurismäki）*。明明他的電影都是在抱怨芬蘭，還恨不得逃去港灣對岸的愛沙尼亞塔林，但是他越碎嘴，越激起我對這個國家好奇。騎著城市裡的單車胡亂探索，經過了很多日本人在外頭拍照的餐廳「海鷗食堂」（為電影場景），本想加入湊熱鬧的隊伍，但發現門口張貼店休五日的公告，只好認命地繼續騎著單車閒晃。當路過某個街角時，我像被植入

---

* 阿基・郭利斯馬基（Aki Kaurismäki），芬蘭電影導演、製片、編劇與演員，代表作為《沒有過去的男人》（2002年）。獨樹一格的冷調幽默，贏得無數影迷的熱愛，新作《希望在世界另一端》獲得柏林影展最佳導演銀熊獎。

晶片的人體導航機，直覺地沿著Albertinkatu街騎，然後右轉Eerikinkatu街，看到模糊的招牌寫著Kafe Moskova（莫斯科咖啡館）。推開低調的酒吧大門，立刻闖進阿基‧郭利斯馬基的影片裡，厚厚的窗簾遮去了夏日夜裡依然狂放不羈的陽光。刻意營造的幽暗的空間，演著自己人才懂的荒誕。吧檯用著兩根突兀的霓虹燈管裝飾，我向陰沉的女人點了啤酒，一摸啤酒是冰的，不禁笑了出來，我身旁的男人也笑了，他說：「沒想到啤酒是冰的，傳言這家是冷服務、溫啤酒！」

他是馬丁，邀我跟他的另外兩個朋友同桌。他們來自挪威，是阿基‧郭利斯馬基的鐵粉，理所當然來造訪導演所開的這間酒吧，和同好一起泡在怪異的蘇聯時空裡。我們聊到導演的成名作《沒有過去的男人》、聊到片中男主角Markku Peltola在這個酒吧的身影。我說：「後來Markku有演日本電影《海鷗食堂》，就是偷咖啡機的那個男人。」他們猛點頭。然後，馬丁說：「你知道Markku是一個樂團的主唱耶，他還是貝斯手，但他在2007年過世了，才五十出頭。」我們靜默了。

店裡播放著過時的俄羅斯搖滾樂，但在這間有如時空膠囊的酒吧裡，這樣的音樂一點都不會顯得不合時宜，馬丁和他的朋友們不時跟著旋律哼哼唱唱。我們點著一輪又一輪的伏特加，從芬蘭出品的，喝到瑞典生產的，再喝著俄羅斯製造的。俄羅斯幅員廣闊，伏特加品項眾多，一shot接著一shot，最後已經分不清杯中物是來自貝加爾湖還是聖彼得堡。我們聊著電影、聊著芬蘭與挪威，馬丁不安好心地說：「我很喜歡來赫爾辛基，覺得很舒服，很多人說挪威人很害羞，但挪威人到芬蘭旅行就看到比我們還害羞的物種，所以特別自在。」隔壁桌的芬蘭人靦腆地笑，本以為他會生氣，沒想到他還點了伏特加請我們喝，酒是溫的，心是熱的，他臉紅通通地跟我們舉杯。

曬了一個禮拜的北極天光，在這間不透光的莫斯科咖啡館（Kafe Moskova），我突然有沉重的睡意，一整個禮拜的頑強失眠症狀在此被

芬蘭導演阿基·郭利斯馬基所開的酒
吧「莫斯科咖啡館」是赫爾辛基的奇
幻空間。

馴服，眼睛一閉上就可以睡上好幾個世紀。一杯一杯的伏特加調和著我的黑夜與白天，馬丁說得有道理：「伏特加喝越多，就會覺得夜比較長，尤其在永晝的時候，更需要一點夜，否則，太亢奮了。」

不曉得是不是喝太多了，半年後，我闖進了永夜。

關於北極光的偏見

永晝時分在赫爾辛基的莫斯科咖啡館待上了一夜，六個月後的冬日，我搭機到莫斯科、逼近永夜，再轉機至俄羅斯北極圈的入口城市莫曼斯克（Murmamsk），為了看極光。就科學原理來說，只要在高緯度的國家，都有機會可以看見極光，俄羅斯在北極圈內有那麼龐大的領土，沒有道理看不到極光。只是很少人把極光和俄羅斯聯想在一起，人們總認為象徵幸福的極光只會降臨在童話世界般的北歐或北美，至於俄羅斯的極地，多半人的認知就是荒涼、民不聊生，甚至是流放的所在，在這裡，談不上幸福。極光等於幸福等同浪漫其實都是商業操作，住在莫曼斯克的伊恩就說：「只要是永夜，天空算乾淨，我常常看到極光，小時候看到極光，長輩還會說是鬼火。」

若不是擔任嚮導的伊恩不時跟著他的朋友用俄文聊天，我一直以為我置身在北歐的某個寂靜平原，沒有察覺這是俄羅斯。眼前詩意、蒼白的景致跟芬蘭的羅凡涅米（Rovaniemi）湖區雷同，伊恩說：「北極圈這一帶通稱為拉普蘭區（Lapland），這是北歐遊牧民族薩米人的活動範圍，就遊牧民族的認知是沒有國界的，此地與芬蘭相連，開車過去才兩個小時，大自然的景觀當然相似。」未滿三十歲的伊恩英文很好，本來是職業軍人，退役後從事旅遊業。他每年都會安排一趟一到兩個月的歐洲自助旅行，熱愛健行和登山，甚至時常去芬蘭參加極圈馬拉松。跟

（上）俄羅斯在北極圈內有龐大的
領土，其極光景致不輸北歐美加。
（下）有伏特加相伴的極光之旅，更
加完美。

他聊天時，我都忘了他是俄羅斯人，他好奇地說：「那你覺得俄羅斯人是什麼樣子呢？大家都是普丁嗎？每個人都是把伏特加當水喝？」他的每個問句我都想回答Yes，心裡很羞愧，究竟我對俄羅斯的偏見從何而來？

我很不好意思地問他：「那你喜歡伏特加嗎？」他笑了笑說：「還可以，但比較起來，我比較喜歡威士忌。我愛葡萄酒也勝過伏特加，其實現在的俄羅斯年輕人很多人是喜歡喝葡萄酒。」一月的莫曼斯克，每天中午十二點日出、午間十二點四十五日落，天是會亮的，只會有光六至七個小時，但那光是偏黑青色的，照不出什麼影子，在如此天幕下行走的人，臉色多半不佳，我終於明白薩拉所說的：冬天的臉。位在北極圈內三百公里的莫曼斯克是俄羅斯遙遠的邊陲，但因為所在港灣有暖流經過，是珍貴的不凍港。軍艦可從此出海壓制美國和歐洲的北海勢力，港灣瀰漫濃厚的軍事氣息。一般遊客來此觀光，主要會參觀的景點有：破冰船、紀念碑等歌頌蘇聯豐功偉業的遺跡，另一個必去的景點就是世界最靠北的麥當勞。買了一個大麥克作為造訪這個城市的紀念後，我就到麥當勞旁邊的超市準備極光酒水，畢竟極光是要靠等待的，等待時最好的良伴就是酒精。

極光下的酒席

本以為要在零下二十度的冰風中等待極光，所幸下榻的極光旅店Eco Home標榜有大面的天窗觀賞極光，能在房子裡吹著暖氣、仰望天空。我在窗邊擺好伏特加和威士忌，藉著窗邊微微透進來的冰空氣來冰鎮酒水。先嚐了一款來自貝加爾湖的Baikal伏特加，伊恩指出，貝加爾湖是最大的淡水湖，水質乾淨，所以俄羅斯很多優質的伏特加都來自那裡。他切了幾片小黃瓜給我，品著伏特加，再咀嚼一片小黃瓜，伏特

（上）莫曼斯克為不凍港，是俄羅斯
重要的軍事基地。（下）在莫曼斯克
可以大啖帝王蟹，價格平實。

加的清甜口感被引了出來。接著，我們酌著也是來自貝加爾湖的鱘龍魚伏特加Beluga，這算是俄羅斯伏特加高單價的產品，單喝一口就被他的後韻所折服，豐饒的味道讓人驚訝於水也可以有這種厚度。此時，伊恩舀了一杓鮭魚卵給我，鮭魚卵的油脂味讓伏特加的質地更加華麗。雖然外頭天空一片漆黑，沒有極光的跡象，但每咬下一顆鮭魚卵就像釋放煙火。伊恩說：「這款Beluga除了水質好外，據說生產者在裝瓶前會靜置酒水一個月，他們認為透過這道工序可以讓酒水變得更滑順。」

因為北極光，這個原本剛毅的軍港有了溫柔的面貌。旅人可以在這裡體驗在地人的尋常生活、走訪養馴鹿的人家、跟著農戶一起在冰上垂釣。伊恩表示，極光是我們生活的一部分，秋冬的永夜讓我們失去了大量的陽光，卻換來會跳舞的綠光，很美，但我並不覺得它特別；而是你們驚訝的神情，讓我感到特別。

連續兩天喝著酒、等著極光，綠光沒看見，倒是俄羅斯琳琅滿目的伏特加喝了不少。除了柔順的酒款，在地人其實比較喜歡價格平實口感嗆辣的伏特加，這些平民款的伏特加沒有太漂亮的包裝，外觀就像台灣超市架上的米酒頭。一shot入後，彷彿在喉頭點了一把火。起初我很難接受這樣的口味，但絲滑、甜美的伏特加喝多了之後（價格也比較高），突然很能享受這些個性嶙峋的伏特加。伊恩笑著說：「沒想到妳可以欣賞『劣』酒，許多旅人都是請我去找雜誌評鑑的前十大伏特加，但那些知名款其實在歐美都買得到，倒是地方性的烈酒，離開這裡，就沒這個口味了！」

第三晚，我們吃著俄羅斯香腸配著「劣」酒，百無聊賴地凝視天際。突然見到綠色絲巾般的線條在天空飄著，一下子是S形、一下子是問號、一下子扭成綠色的火焰。一起吃肉喝酒的加拿大夫婦興奮地說：「之前去黃刀鎮都沒看到，沒想到竟然是在俄羅斯圓了極光之夢。好幸運，該許個願的。」極光不若流星稍縱即逝，他像特製的綠色墨水揮灑

天際，淺綠深綠的顏色不斷變化，之前看的火焰慢慢地暈染成的空中瀑布，接著綠光蔓延天際。相較於極圈內冬日白天的陰沉、入夜後天空多半闇黑，極光的出現，格外魔幻，魔幻到我忘記許願。只能「劣」酒一杯又一杯，熱切地想要記住這一刻，恨不得在身上能烙下一抹綠光的痕跡。既然不以極光紋身，那就用伏特加燃起內在火焰，與極光一起共舞。

從永晝喝到永夜，我的北極是一連串的機遇與巧合，沒有探險家的冒險情節、也沒有搜奇旅行中必訪的北極熊。我的北極過於日常，但也因為日常，當我轉開一瓶來自貝加爾湖的伏特加時，白花花的永晝、綠光閃爍的永夜，在杯中交錯，調製出異地時空的黑夜與白天。

Arctic

酒徒駐足notes

前進北極／從台灣出發可至香港轉搭芬蘭航空飛往赫爾辛基，芬蘭航空網站　www.finnair.com，抵赫爾辛基後可搭國內線班機或是火車前往羅凡涅米，即進入芬蘭的北極圈。若要前往俄羅斯莫曼斯克，可在香港轉搭俄羅斯航空至莫斯科後，再搭國內線班機。

簽證／持台灣護照可免簽旅遊芬蘭。俄羅斯則須辦理俄羅斯簽證。

導演開的「莫斯科咖啡」Kafe Moskova／Eerikinkatu 11, 00100 Helsinki

極光旅店／eco-home.pro

羅凡涅米旅遊資訊／www.visitrovaniemi.fi

LA
RUTA
DEL
VINO

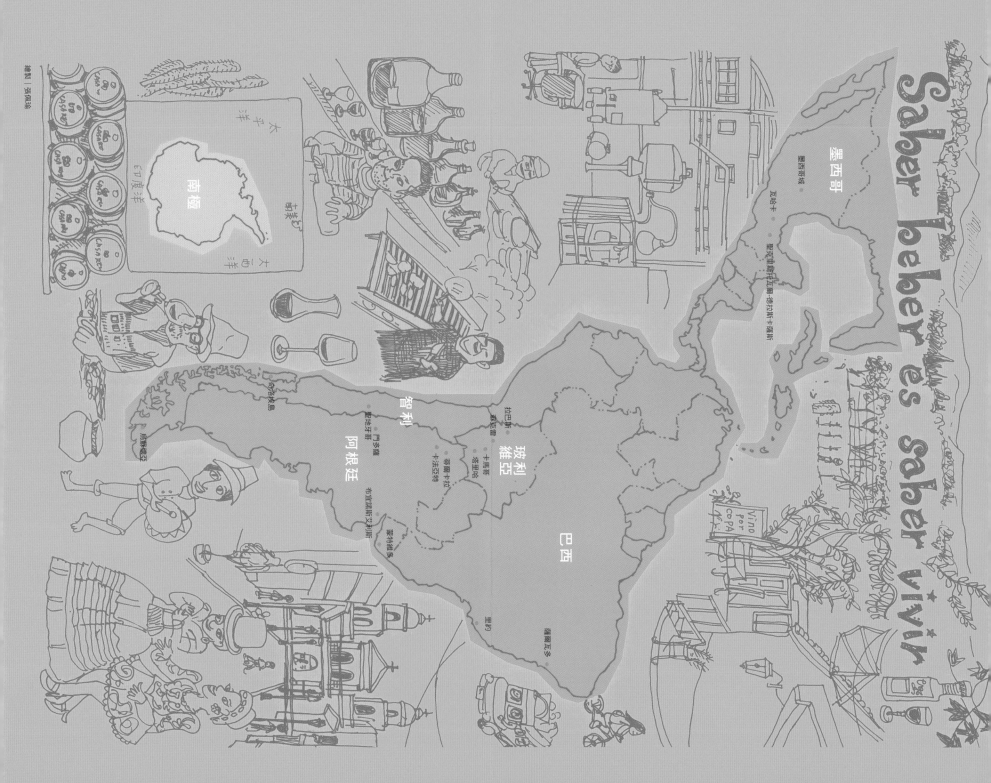

Saber beber es saber vivir

墨西哥
墨西哥城
瓦哈卡
聖克里斯托瓦爾·德拉斯卡薩斯

智利
門多薩
聖地牙哥
蒂爾卡特
卡法亞特
拉巴斯
蘇克雷
塔里哈
玻利維亞
阿根廷
布宜諾斯艾利斯
蒙特維多
巴西
里約
薩爾瓦多

南極
太平洋
大西洋
智利
高舒樓亞
高舒樓亞

Vino por copa CL...

繪製｜張佩瑜

LA
RUTA
DEL
VINO